魏志倭人伝と
大和朝廷の成立

藤田洋一

幻冬舎ルネッサンス新書
253

魏志倭人伝と大和朝廷の成立

藤田洋一

幻冬舎ルネッサンス新書
253

はじめに

皆さんは卑弥呼（ヒミコ）のことは聞いたことがあると思います。

卑弥呼とはいつ頃生きた人だったのでしょう。

実は卑弥呼の生まれた年は分からないのですが、亡くなったのは西暦248年頃だそうですから弥生時代の人であるのは確かです。

何故これが分かるかというと、『魏志倭人伝（ギシワジンデン）』に卑弥呼の様子と卑弥呼のお墓が作られたことが書いてあるからです。

魏志倭人伝とは何かと言いますと、昔中国に魏（ギ）という国があって、そこの人が当時の日本について書いている文書のことです。そんなに古い書物が現代にまで残っているとは、なんとも不思議なことですよね。

『三国志』という有名なお話がありますが、漫画や映画にもなっているので聞いたことがある方も多いと思います。三国とは中国の漢の時代の後に登場した国々で、具体的には魏（ギ）・蜀（ショク）・呉（ゴ）の三国です。この中の魏が290年頃に、日本について書いているのです。

当時の日本は倭（ワ）と呼ばれていましたので、倭人について書いた魏の歴史書という意味で『魏志倭人伝』となっているのです。

日本の西暦300年前後は、空白の日本史の時代と言われていて、学校の教科書にも書いてありませんし誰もこの頃のことを教えてくれません。

弥生時代があって、突如古墳時代が登場するのです。ですから290年頃に書かれた魏志倭人伝は弥生時代の最後の頃の日本について色々書いてあるので、日本史にとってかけがえのない書物ということになります。

日本で一番古い書物は712年に書かれた『古事記』ですから、それよりも400年以上前に書かれているのです。しかも魏志倭人伝は役人の報告書に基づいて書いていますから、当時の事実を反映していて、実際卑弥呼にも会っています。神話を書いている古事記などよりはるかに信憑性が高い書物だと言えます。

日本では江戸時代から、「邪馬台国が九州にあったのか近畿地方にあったのか」ということが魏志倭人伝を参考にして国民的な論争になっています。もちろん本書でもそれについて「第一部　魏志倭人伝」で解説しますが、それよりも本書で注目したいのは、当時倭の国の一部が韓国の南に存在したということです。魏志倭人伝には、倭の北岸に狗邪韓国（クヤカンコク）として、倭国の一部が南朝鮮に存在したと明記されています。

魏志倭人伝を理解するには、この頃の東アジアの状況を少し知る必要があります。

魏の一つ前の中国の王朝は漢字で有名な漢（カン）でした。漢は朝鮮半島の北にあった高句麗（コウクリ）や扶余（フヨ）といった国々を制圧しようとしていました。

高句麗も対抗していましたが、漢の圧迫に耐えかねてか一部の人々が南に新天地を求めて移住して行きました。

朝鮮半島の西側にあった百済（クダラ）はこれらの人たちにより建国されたそうですが、その流れで他にも多くの小国が南朝鮮にできたようです。

漢の時代、朝鮮半島の北側にあった高句麗では朱蒙（チュモン）という英雄が中国と戦っていました。この朱蒙の掲げていた高句麗の旗が３本足の烏（カラス）の紋章でした。

３本足のカラスの旗は日本にもあり、八咫烏（ヤタガラス）と呼ばれていて、現在の自衛隊情報部隊の部隊マークや日本サッカー協会のシンボルにもなっています。日本の神話では、昔神武天皇が東に遠征する際、３本足のカラスが大和の国に導いた、として皇室に伝わるのぼり旗にもなっており、天皇即位の式典にも使われています。

前述のとおり、日本の歴史において、古墳時代とその少し前の時代は空白の時代と言われています。

魏志倭人伝に書かれている弥生時代の倭《日本》の

人々はかなり原始的な生活をしていた、と描かれています。

ところがあるとき、土でお墓を作っていた弥生時代の後に石室を伴った壮大な古墳を作る時代が登場するのです。いったいこれはどういうことなのでしょうか。

確かに弥生時代の日本人は原始的な生活を送っていましたが、全員がそのような生活をしていたわけではなく、同じ日本人でも狗邪韓国（クヤカンコク）の人々の状況は少し違っていました。ここでは百済（クダラ）や新羅（シラギ）といった朝鮮の国々を通じて、中国の文化や硬い鉄製の武器も手に入れることができたのです。他にも、当時日本にはいなかった馬も使うことができたので、本土にいた日本人に対しては相当優位な立場にいました。

２部の「大和朝廷の成立」では、この優位な立場にいた日本人が大和に進出して王朝を作ったという話を書いています。

日本人の祖先が朝鮮半島にいたということに抵抗を感じる人がいるかもしれませんが、そもそも我々人類《ホモサピエンス》はどの国の人も全員アフリカ大陸が故郷で、そこから10万年かけて世界各地に進出していって現在があるのです。途中で突然変異もあったでしょうし、気候や生活の影響も受けたでしょうから、現在のように多種多様な人類が存在するのです。これは現在の人類学の定説になっているのです。日本人にしても朝鮮人にしてもオリジンは朝鮮半島ではなく、恐らくもっと遠い北の方のどこかなのです。

ここで毎日新聞に2021年11月13日掲載の、英科学誌『ネイチャー』で発表された画期的新説とされる学説について簡単にご紹介します。

「これは日本語・朝鮮語を含むユーラシア大陸に広範に広がるトランスユーラシア語の起源に関する発表です。《トランスユーラシア語とは、琉球語を含む日本語・韓国語・モンゴル語・ツングース語・トルコ語などユーラシア大陸に広範囲に広がる言語のことです。》

研究チームはドイツのマックス・フランク人類史科学研究所を中心に、日本・中国・韓国・ロシア・米国などの言語学者、考古学者、人類学（遺伝学）者で構成されました。98言語の農業に関連した語彙や故人骨のＤＮＡ分析、考古学のデーターベースという各学問分野の膨大な資料を組み合わせることにより研究が進められ、従来にはなかった精度と信頼度で、トランスユーラシア言語の共通の祖先の居住地や分散ルート、時期を分析したものです。」

従来「日本語の起源」とか「日本人の起源」というタイトルで、数多くの書籍やユーチューブによる発表がありますが、これらは一学問による研究なので信頼度が高いとは言い難いです。

しかしながら、今回の発表は言語学者、考古学者、人類学（遺伝学）者で構成されていますので、一分野の研究が他分野とも整合性があるかどうかということも検証されており、従来の発表に比べて格段に信憑性が高いのです。

この発表によると、言葉（トランスユーラシア語）の共通の祖先は約 9000 年前、中国東北部・瀋陽の北方を流れる西遼河流域に住んでいたキビ・アワ農耕民と判明したそうです。その後数千年かけて北方や東方のアムール地方や沿海州、南方の中国、遼東半島や朝鮮半島など周辺に移住し、農耕の普及とともに言語も拡散したそうです。朝鮮半島では農作物にイネとムギも加わりました。

日本列島へは約 3000 年前「日琉（ニチリュウ）《日本語と琉球語》語族」として、水田稲作農耕を伴って朝鮮半島から九州北部に到達したと結論づけられています。

このように最新の確度の高い学説でも、「日本人にしても朝鮮人にしても、オリジンは朝鮮半島ではなくもっと遠い北の方のどこか」とされているのです。

魏志倭人伝と大和朝廷の成立

目次

第1部　魏志倭人伝

これは日本の３世紀頃《弥生時代の終わりの頃》のお話です。

その頃の日本はどうだったのでしょう。

我が国にはその頃を書いた書物はありませんが、幸い中国の人が書き残してくれました。

それが『魏志倭人伝』です。これは当時の中国の魏という国の人が書いた歴史書で、それを書くために使節団とおぼしき一行が日本を訪れています。

魏が書いた倭人の歴史書という意味で『魏志倭人伝』というのです。

では早速その中身を見てみましょう。

魏の使節団とはどのような一行だったのでしょうか。魏志倭人伝に書いてある倭への贈り物の量などから推し量った想像になりますが、中心となる魏の役人が５名ほど、それを守る護衛の兵士が10名ほど、通訳が１名、食料や倭への贈り物を運ぶ人夫が12名ほど、料理人が２名ほど、さらに大きな船を操る水夫たちが20名ほどで総勢50名ぐらいだったと思われます。

話は帯方郡（タイホウグン）から始まりますが、帯方郡とは204年から313年の109年間、古代中国によって朝鮮半島の中西部《現在のソウル近辺》に置かれた軍事・政治・経済の中国の地方拠点《直轄領》です。ですから使節団はまず、魏の国から朝鮮半島にあった中国の出先機関ともいえる帯方郡に行き、物語はここからスタートするのです。

ここから魏志倭人伝の話が始まります。

帯方郡から倭に至るには、海岸に沿って水行し、韓国を通り過ぎて南へ行ったり東へ行ったりして、その倭の北岸の狗邪韓国に到着する、その距離七千余里、とあります。

ここで注目すべきは、韓国の南岸なのに倭の北岸の狗邪韓国と言っていることです。

現在の我々から見れば韓国は外国ですが、冷静に考えてみれば４万年前には日本列島には人は誰も住んでいませんでした。日本列島に初めて人が来たのはおよそ３万８千年前と言われています。

北や南、また朝鮮半島経由からも多く来たようで、最初に来た人たちを縄文人《古モンゴロイド》と呼んでいます。その後来た人々は弥生人《新モンゴロイド》と呼びます。でもこの２回に規則正しく来たわけではなく、何度も何度も人が来たと考えるのが自然ですよね。

一方、この頃の日本の周囲《東アジア》に目を向けてみましょう。

先にも述べましたが、魏の前の中国は、日本では漢字で馴染みのある漢という国でした。漢は、朝鮮半島の北の方で高句麗や扶余といった国々を圧迫していました。

高句麗の英雄朱蒙（チュモン）の登場もこの頃の話です。韓国ドラマで描かれる彼について興味深いのは、話の最後に高句麗の朱蒙の家族の一部が南朝鮮に新しい国を建てるため移住するというくだりです。実際、後に興った百済（クダラ）という国もこの移住した人たちによって建国されたということです。この流れ《中国による圧迫》で朝鮮半島北部にいた多くの人たちが南朝鮮まで来るということは自然な流れだったと言えるでしょう。ですから、高句麗や扶余を源流とする人々がこの頃南朝鮮に大勢いたとしても不思議ではないことになります。ちなみに扶余の人々は体が大柄でつつしみ深く、あまり侵略的なことはしないそうです。つつしみ深いというのは日本人と同じというか日本人の源流がこのあたりであればなるほどな、ということでしょう。

魏志倭人伝によれば、魏の使節団は、狗邪韓国から対馬・壱岐の島を経て九州に上陸しており、倭の国々の状況を次のように報告しています。

道は獣道のようで草木に覆われていた。男性は大人も子供も体に入れ墨をしていて裸足で生活していた。服は布を結んだだけのような物を纏い女性の服は袋に穴をあけてそこから首をだしていた。体や顔には赤い顔料を塗っていた。食事をするときは素手で食べていた。

他にも、食物採集の狩りに用いていた矢じりの先は、鉄だけでなく動物の骨も使われていたそうですので、かなり原始的な人々だったということが想像できます。

しかし狗邪韓国の人々は少し違いました。この地域は常に北方から中国の影響を受けた文化や武器が来ていたので、倭の中ではずばぬけて発展していました。ここの人たちは九州にもよく行きましたし、また九州の人々も鉄をはじめとした武器の材料や服や日用品を買いに来ていました。

では彼らがどんな言葉で交流していたかということですが、九州には元から朝鮮半島経由で高句麗や扶余の人々が来ていて、言葉も元々は高句麗あたりの言葉と一緒でした。そのため、新しく北方から来た人たちとの会話は現代人が江戸時代の人と話すようだったと思います。つまり基本的には理解できるけど、言いまわしはかなり違っただろうと思われます。それでも意思の疎通は十分できたでしょう。

1　邪馬台国の読み方

使節団が対馬や壱岐を経て最初に上陸した九州の場所は末盧（マツラ）というところで、長崎県の松浦のことだと言われています。

一行はここで船を降りて徒歩で近くの国々を廻りました。松浦の後、立ち寄ったのが伊都（イト）国です。ここは現在の福岡県の糸島あたりで、帯方郡からの使者が常に立ち寄る場所ということが書いてあるので、出入国管理をするようなかなり重要な国であったようです。

それでも住居は千余戸となっていますので、数千人しか住んでいなかったようです。

次に使節団は奴国（ナコク）に行きます。奴国とはあの有名な、志賀島から出土した金印《漢委奴國王＝漢ノ倭ノ奴ノ國王という印で委という字は倭の略字》に書いてある奴国のことです。戸数も２万余戸となっていますので、人口も８万人ぐらいいた大きな国だったと思います。場所としては、現在の福岡あたりだと思われます。

そして、ここから東に100里ほど離れた港のある不弥国（フミコク）へと移動しました。松浦で乗り捨てた船をこの間回遊させ、ここで再び乗船していよいよ邪馬台国に向かうのです。不弥国の現在の地名は不明ですが、福岡あたりから東に100里で港がある場所ですから、福岡県の古賀市あたりでしょうか。

邪馬台国とはどこにあったのか、とこれまで大々的に議論されてきました。歴史書を紐解きながらたどり着いた私の答えを、これからご説明します。

まず、国というのはどこの国にも付けていましたので、国の名前は「国」を外した「邪馬台」です。

昔は印刷機もコピー機も存在しないので、後世に文書を複数残すためには写本をしていました。

魏志倭人伝も何度か写本をされていて、その中に「後漢書倭伝」というのがあり、そこには邪馬臺国と書かれています。この写本を見た江戸時代の新井白石が「**臺**」という字が古いので、一番臺に近い新しい台という字に置き変えたのです。

《台湾のことも昔は臺灣と書いていましたが今は台湾です。つまり台の元の字は臺なのです》

私はこの後述べる理由により、邪馬臺の臺という字を古代には《トゥー》と読んだと思っていたのですが、確証はありませんでした。

しかしよく調べてみると、魏志倭人伝のオリジナルでは邪馬臺ではなく邪馬壹と書いてあります。

後漢書倭伝に写本をする際に間違ったのか、それとも何らかの意図があったのかは定かではありませんが、後漢書倭伝では魏志倭人伝で書かれた邪馬壹国が邪馬臺国になっているのです。

壹であるならば豆という字が含まれていますので、発音は自然に「トウ」か「トゥー」に近くなるでしょう。

使節団は倭の人々の話す音を聞いて、それに一番近い発音の漢字を国名にあてたわけです。

この壹という字は、魏志倭人伝の中でもう一度使われています。それは卑弥呼の娘の名前です。

使節団が倭を訪れたとき卑弥呼に会っていますが、その後248年に卑弥呼は死にました。卑弥呼が死んだ後倭国は再び乱れますが、娘のトヨが後を継いで国がおさまったと書かれています。13歳の壹与（トヨ）となっていますが、この字をタイと読めば娘の名はタイヨとなります。

女王卑弥呼の住む中心地をヤマタイと呼んでいたならば、卑弥呼の跡を継いだ娘の名前はタイヨということになりますが、我が国の娘の名前は通常ミヨとかチヨというように二文字で表すのが一般的であり、彼女の名前もトヨかイヨであったと思われます。多くの解説書でも国の名前はヤマタイでも、娘の名前はイヨかトヨになっています。

このことから私は、新井白石が写本を読んだ際に「ヤマトウ」ではなく「ヤマタイ」としたことが、議論となるきっかけとなったと考えています。

その読み違えによって、「ヤマタイ国」というこれまでの歴史に登場してこなかった新たな地名として扱われ、「ヤマタイ国」がどこにあったのか人々は見当がつかず、多くの議論がなされてきたのです。新井白石も罪なことをしたことになりますね。
歴史家の中にはこのことをもって邪馬台国は存在しなかったと言う人もいます。

卑弥呼の娘の名前がイヨであったと仮定すると国名はヤマイ国となり、トヨであるならば国名はヤマト国になります。これらのことを鑑みて私は、国名は「ヤマト」であり、卑弥呼の娘の名前は「トヨ」だったのではないかと思います。

しかし、邪馬台をその当時ヤマトと呼んでいたかというとそうとは考えにくいのです。何故なら、魏志倭人伝では使節団が訪れたイトの国を伊都と書いてますが、ヤマトなら同じように「都」の字を使うはずだからです。つまり、邪馬台は単純にヤマトではないのだと思います。
当時の正確な発音は分かりませんが、私は「ヤマトゥー《英語の too と同じ発音》」だったのであれば、この音を漢字で表して壹（トゥー）という字を使用したのではないかと考えています。

そう考えるのには、私が現在住んでいる沖縄の言葉が根拠としてあります。
沖縄の人の言葉は現在、日本語と大きく違っていますが、元は同じ言葉で 1700 年ほど前、つまり卑弥呼の時代に日本語から分かれたと言われています。
例えば沖縄で「ヤナワラバー」と言うのですが、これは嫌な子供という意味です。ヤナは「嫌な」で、ワラバーは「わらべ《童》」、つまり「嫌な子供」ということです。現代では童（ワラベ）という言葉はあまり使われませんが、本土でも江戸時代くらいまでは子供のことは「わらべ」と呼んでいました。つまり、沖縄では古くからの言葉が今でも使われているということです。
同様に沖縄では、今でも本土のことを「ヤマトゥー」と言うのです。つまり、1700年前≪丁度魏の使節団が倭に来た頃≫ヤマトゥーと呼ばれた場所が実際にあったという証拠が、現在まで引き継がれているということになります。

沖縄の言葉が古い日本の発音を引き継いでいる例は他にもあります。
私たちは日本語で「私は山に行く」と書いたとき、その発音は「ワタシワ　ヤマニイク」で、「は」を「ワ」と発音しますよね。
何故「は」を「ワ」と読み「私わ山に行く」とは書かないのでしょうか。
それは「はひふへほ」の読み方を、古代では「ファフィ　フ　フェ　フォ」と発音していたからなのです。だから、古代の日本語の発音では「ワタシファ　ヤマニイク」だったのです。

それが時代を経て「ファ」の発音が「ワ」に変化したのですけど、文字は変化せずそのまま残ったのです。

これと似た変化として「淡い」という言葉があります。私たちは「アワイ」と読みますが、古いひらがなの書き方では「あはい」と書きました。

現在では「あはい」と書いても普通に「アワイ」と読みますが、実は古代では「アファイ」と読んでいたのです。

沖縄ではそれが現在も残っており、みんな普通に「アファイ」と言っています。

他にも那覇は「ナハ」ですが、これも古い沖縄の人たちは「ナーファ」と言います。

このように今の「ハ行」は以前「ファ行」として発音していただろうことが、現在にまで残る沖縄の発音から分かるのです。

このように沖縄で多くの言葉が古いまま使われていることを考えると「邪馬臺＝邪馬台＝ヤマトゥー＝ヤマト＝大和《奈良県》」というふうに考えるのは、ある程度の根拠に基づいたものだということができるでしょう。

またその大和では、実際奈良県桜井市の纏向（マキムク）遺跡に卑弥呼の宮殿とおぼしき建物跡が見つかっており、シャーマンであった卑弥呼が道教の儀式に使用したと思われる2800個もの桃の種《卑弥呼は中国から多くを学んでいて中国発祥の道教では桃を神聖な果物としている》も発掘されています。このようにいくつかの考古学的発見による裏打ちもありますので、邪馬台＝ヤマトゥー＝ヤマト＝大和《奈良県》というのはほぼ間違いないでしょう。

従来邪馬台国の場所について、大きくは九州説と近畿説がありますが、魏志倭人伝では、南至投馬國　水行二十日《船で20日航行すると投馬國に着く》と投馬國の後、水行十日、陸行一月《船で水上を十日航行、徒歩で陸上を一月歩く》と書いてあり、九州説ではこの文についての説明ができないので無理があります。

中には川を航行したなどという説もありますが、卑弥呼に渡す銅鏡100枚をはじめとした布や絨毯など魏からの贈り物の量を考えれば、最初に書いた通り使節団一行は２～３人などという小規模なものではなく50人近い人々だったはずです。当然大きな船で来ていたでしょうから、その大きな船で川を航行するなどということは不可能で無謀でしょう。

2　いよいよ邪馬台国へ

使節団一行は九州に上陸後、船でヤマトゥーに向かいました。

福岡近くの不弥国から船に乗るのですが《不弥国から》南、投馬国に至る、水行二十日とあります。

不弥国というのは福岡近くの港がある場所としか分からないのですが、ここから南に船で20日というので、船が九州の福岡あたりから20日も南に進んだら、太平洋に出てさらに沖縄あたりまで来てしまうので皆が混乱しているのが現状です。

このため邪馬台国の場所が特定できず、長年国民の間で邪馬台国九州説や邪馬台国近畿説などが、議論されてきたのです。

しかしそれはわざと魏の国が策略のため嘘を書いたのだと解釈すれば問題は解けます。

何故嘘を書いたのかというと、それは当時の魏のとある事情があったからです。

その頃の中国は三国志で有名な三国時代で、魏・蜀・呉が互いに争っていました。魏も他国と争っていましたので、魏と親交のある邪馬台が南にあるということは、呉のすぐ東に倭があるということになり、呉にとっては大いなる脅威ということになりますし、魏にとっては都合がよいことになります。

使節団の報告を受けて魏志倭人伝を編纂したのは陳寿という三国志も書いた人で、この人の策略だったのではないでしょうか。

陳寿はこの文書《魏志倭人伝》を読む人に、簡単には邪馬台の位置を教えたくなかったのだろうと思います。

実際後世の我々も大いに惑わされています。陳寿の策は功を奏したということでしょう。

邪馬台は大和であると仮定すると、陳寿が南と言っているのを実は東であると読み替えれば答えが見えてきます。

南至投馬國　水行二十日　官日彌彌　副日彌彌那利可五萬餘戸

この文は、不弥国から船で南に二十日行くと、投馬国に至る。官は弥弥（ミミ）といい、副官は弥弥那利（ミミナリ）といい、五万余戸ばかりある、という意味です。

福岡近辺から奈良の大和に行くには、瀬戸内海を通って大阪あたりに上陸して歩くか、もう一つは日本海を通って舞鶴あたりに上陸して歩くということが考えられます。しかし瀬戸内海を通って大阪あたりに上陸すれば、いくら獣道だとしても上陸後大和まで徒歩で１カ月はかからないでしょうから、使節団は日本海ルートを通ったのではないでしょうか。

不弥国から東《南》に20日で投馬に着くとありますが、ここは戸数５万の場所と書いてありますから１戸４人としても人口も20万人ぐらいいたことになります。

そんな人口の多い場所が途中日本海側にあったのかということですが、投馬の発音で一番近いと思われるのは日本海側の但馬（タジマ）です。

しかし但馬にそんなに多くの人口がいたとは思えません。ただこの近くには出雲がありますし、出雲なら人口は20万人いても不思議はないので、投馬とは恐らく出雲のことだったのだろうと考えています。

投馬の後は南、邪馬台国に至る、女王の都とするところ、水行十日、陸行一月とあり、ここも南を東に読み替えて投馬《出雲？》から東へ船で10日航行したということになります。どこに上陸したとは書いていませんが、舞鶴近辺なら大和に行くのには港もありますし適当な場所に思えます。恐らくですが舞鶴近辺に上陸し、キャンプをしながら徒歩で１カ月かけて大和にたどり着いたのでしょう。

高句麗
魏
蜀
帯方郡
呉
狗邪韓国
対馬国

扶余
（舞鶴）
投馬国（出雲）
不弥国
奴国
邪馬台国
伊都国

3　魏志倭人伝から見る中国と倭の関係

邪馬台国に着いた後、使節団は倭の風俗について書いています。既に述べましたが、男は大人も子供も入れ墨をしているとか、食事をするときは手で食べるとか、全員裸足で生活しているとかです。

巻末に魏志倭人伝の全文を現代語訳付きで載せていますのでここでは詳細は省きますが、人々は原始的ではありますが秩序を守って争いごとも少なく平和に長生きしていた様子がうかがえます。

風俗などの説明の後には、中国との政治的な関係の話がでてきます。

まず238年に倭から貢物を持った使節団が当時の中国の都《洛陽》に行きました。

貢物は男４人・女６人の生口《奴隷》と布《20ｍぐらい》でした。

それに対して魏からは、返礼品として数倍の布地や銅鏡《100枚》や刀などが贈られました。

古来より中国には中華思想というものがあって、中国が世界の中心の華《はな》で周りの国々は東西南北、それぞれ東より東夷・西戎・南蛮・北狄と称して野蛮人扱いしていました。それでも中国に貢物を持って朝見して忠誠を誓う意思を示せば、属国として認めたのです。この制度を冊封と言います。沖縄も、琉球時代は中国とこの冊封関係を築いていました。

238年に倭が中国に貢物を持って行き、これに応えて魏は倭に「親魏倭王」《魏に従う倭王》の金印を授けていますから、倭の国も魏と冊封関係が成立していたと思われます。

その後247年に邪馬台国は、争っていた狗奴国に対して援軍を出し一緒に戦ってくれるよう、魏に要請しますが断られています。

このとき魏は魏の軍旗を邪馬台国に渡し、魏が邪馬台国を応援しているのだぞという精神的援助だけしかしませんでした。

248年に卑弥呼が死んだ後、後継者の壹与（トヨ）に中国の張政が諭したとありますが、これはトヨに卑弥呼の死後も冊封体制を続けなさいと諭したものだと思います。

実際魏志倭人伝の最後にも、トヨは張政が中国に帰るとき倭の高官20人を同道させ、魏に男女の生口《奴隷》30人や真珠5千個などを献上したとあるので、少なくともトヨの時代までは魏と倭の冊封関係は維持されていたようです。

邪馬台国が狗奴国に戦争で勝っていれば、魏の影響力を感じてその後も冊封関係が長く続いたと思いますが、後の政権《大和朝廷》は一度も冊封関係を中国と築いていません。

もし狗奴国あるいはその仲間が後の政権《大和朝廷》であったなら、敵であった邪馬台国に肩入れしていた中国を快く思うはずがありませんので冊封なんか論外でしょう。

邪馬台国と狗奴国の争いはどちらが勝ったとはどこにも書いてありませんが、この後中国の歴史書からしばらく倭が消えてしまった事実と大和朝廷が一度も中国との冊封関係を考えたことがない事実を考慮すると、狗奴国あるいはその仲間が後の政権《大和朝廷》になった可能性が高いと考えるのが妥当でしょう。

つまり卑弥呼の政権とその後できた大和朝廷とは連続性がないのです。だから古事記の中にも卑弥呼に関する記述がでてこないのです。

また卑弥呼のお墓には 100 人もの殉葬者がいたそうなので、100 人もの人骨が出るお墓があればそれだと分かりますが、現在までのところそれらしきものは発見されていません。現在卑弥呼のお墓として候補にあがっている古墳がありますが、恐らく 100 体近い人骨は出てこないと思います。

何故なら大和政権になってから作ったお墓と違って、卑弥呼時代のお墓の作り方は封土作冢《土で封じて盛った塚を作ること》であり、要するに穴を掘ってそこに人体を埋め土を盛っただけの墓ですから 1700 年も経てば少し盛り上がった程度の平地になっているでしょう。それでも何かの偶然で見つかるかもしれませんが、いずれにせよ今私たちが見ている古墳のような形ではないでしょう。

最後に、ここまで魏志倭人伝から紐解いてきた当時の状況をまとめてみましょう。

・魏志倭人伝によると倭の人が南朝鮮にも住んで国を作っていた。≪狗邪韓国（クヤカンコク）≫この人たちには馬や武器などの優位性があった。
・卑弥呼の政権と大和朝廷には連続性がない。《冊封制度が途絶えている－大和朝廷と卑弥呼の政権は全くの別物である》
・現在の皇室に八咫烏《ヤタガラス－３本足のカラスの旗》が存在する。
・この３本足のカラスのオリジンは中国だが高句麗の古墳の壁画にも描かれていて高句麗軍の旗にもなっていた。
・弥生時代には土を盛っただけのお墓が多かったが、多くの本格的な古墳は堺付近にある。
・卑弥呼の邪馬台国は狗奴国と争っていた。《狗奴国の詳細は分からないので、この後に書く小説の出発点は南朝鮮にあった狗邪韓国内の安羅国にしました》
・魏志倭人伝には、卑弥呼の時代人々が誇らしげに顔や体に入れ墨をしていた状況が書いてありますが、後の大和朝廷の時代では罪人に罰として顔に入れ墨をするなど、それまでの時代とは全く違った価値観で入れ墨を扱っていて、大和朝廷になって以降従来の文化が大きく変わったことが分かります。

次の第２部は、以上にまとめたここまでの基礎情報と、私の仮説をもとに想像力を働かせて、大和朝廷はこのようにできたのであろうという歴史を描いたフィクションですが、この通りではなくてもこれに近い時代変化が起きていたと考えています。いずれ考古学などの発展により事実が解明されるでしょう。

第2部　大和朝廷について

高句麗
百済
新羅
狗邪韓国
安羅
釜山
出雲
長門

舞鶴
堺
邪馬台国

現在の日本は大和朝廷がスタートになっているということは、誰も疑うことのない事実でしょう。
代々の天皇が、またその配下の将軍たちが、日本を治めてきましたし、今でも天皇が存在します。
では大和朝廷はどこから来たのでしょうか。

古事記にはそのことについての神話があります。
しかし証拠がない神話を本当に信じている人はごく僅かしかいないでしょう。
本書はその問題を魏志倭人伝の助けを借りて解明しようとしているのです。

魏志倭人伝に学び、助けてもらったのは以下の事実です。

1．３世紀の倭国の北限は現在の韓国の南部であった。
《魏志倭人伝の冒頭に倭の北限の狗邪韓国との記載があり、倭国の一部が南朝鮮にあった》
2．邪馬台国の卑弥呼は狗奴国と戦って苦戦していた。

魏志倭人伝から直接教えてもらったのはこれだけですが、ここから次のようなことが推測できます。
また下記の理由で狗奴国が戦いに勝利して新しい国家を造ったと思われ、このときを境にいくつかの文化的変化が起きています。

1. 中国との冊封関係は終わっている。《邪馬台国は中国との間に冊封関係を築いていたが、卑弥呼の娘の壹与（トヨ）の記述を最後に100年以上中国の歴史書に倭がでてこない。もし邪馬台国が消滅して新しい国家が冊封関係を申し出なければ、中国は倭国を無視するだろう》
2. 入れ墨文化が終わっている。《土偶を見ても分かるように入れ墨文化は倭国では長年続いていたのに急にこの文化が途絶える。特に３世紀の大和地方に入れ墨を描いた焼き物などが出土してこなくなる》
3. この頃に銅鐸文化が終わっている。《ただ銅鐸がなくなるだけでなく銅鐸が破壊された状態で発掘されている》
4. お墓の作り方《形態》が大幅に変化している。《甕棺に入れて土を盛っただけの墓から石室を伴った大規模な石造りの墓となる》

狗奴国が大和朝廷になったとしても、いったいどこに狗奴国があったのでしょうか。

そのヒントとして発見したのは、３本足のカラスの旗が高句麗の旗であってその一族が後に百済（クダラ）を建国したということと、大和朝廷にも３本足のカラスの旗が存在したという事実です。３本足のカラスは我が国では八咫烏（ヤタガラス）と呼ばれています。

これだけではなく、過去に大和朝廷が百済と親戚関係ではないかと思わせる出来事がありました。
それは大和朝廷が百済から皇室に妃を迎えたり、百済を助けるために朝鮮の白村江に兵を派遣して、2000人もの犠牲者を出したりしたことです。
つまり大和朝廷は百済とは赤の他人ではなく、何らかの深い縁がある仲なのです。
従って、狗奴国は百済に近い狗邪韓国にあったと思わせるのです。しかし狗邪韓国は大和とは離れています。それで狗邪韓国の一部が大和周辺に移住した後に、卑弥呼の勢力と入れ替わったと考えたのです。
ここに出てくる地名は出発点の狗邪韓国の安羅（アラ）をはじめとして全て実在したものです。
しかし卑弥呼の長女の壹与（トヨ）のみは実在した人物ですが、それ以外の登場人物はフィクションです。世界中どこを探してもこの時代のことを書いた書物はありませんのでフィクションに頼るしかありませんでした。
では本当はどうであったのかということは後の世に解明されることと思いますが、作者としてはこのフィクションが事実にかなり近いものだと確信しています。《解明するためには考古学・言語学・DNA解析による人類学及び現在許されていない古墳の発掘などが必要となります》

1　大和朝廷の芽《タケルの遠征》

大和朝廷の話はここから始まります。

卑弥呼の時代、この頃倭の国内は乱れていました。当時倭の国内には大きな二つの勢力が覇権を争っていました。

一つの勢力は卑弥呼を中心とした昔から住んでいた新モンゴロイド、いわゆる弥生人の勢力で、もう一つは後から入ってきた高句麗や扶余を源流にした北方の人々で、いわばネオモンゴロイドといった人たちでした。このネオモンゴロイドの人たちは最初南朝鮮にいましたが、時代とともに南下してやがて本州にも進出してきました。

《ネオモンゴロイドという言葉は筆者が初めて使う言葉で、従来は古モンゴロイドと新モンゴロイドだけが使われていました》

南朝鮮にあったと魏志倭人伝に書かれている狗邪韓国はネオモンゴロイドの人たちで構成されていました、が狗邪韓国の中にも10余りの小国があったため、全ての人々がネオモンゴロイドであったかどうかは分かりません。

その10余国の中に安羅（アラ）という小国がありました。

国王の名前は安羅タケルでした。

安羅の国王はタケルが21歳のとき病気で死んでしまいました。そのためタケルは21歳で安羅の国王になりました。

国王が死んだときタケルは国王の墓を石で作るよう命じました。

墓を石で作るというのは高句麗・扶余系の人々にとっては当たり前のことでしたが、当時倭の国では土でお墓を作るのが当たり前でした。

魏志倭人伝にも新モンゴロイド《弥生人》であった卑弥呼が死んだとき大きなお墓を作ったと書いてありますが、この時の墓は作冢封土と書かれています。冢というのがお墓のことで、穴を掘って遺体を埋め土で封をしてお墓を作ったものを言い、石室を作るようなことは書いてありません。

石室を含めて石でお墓を作るということは簡単なことではありません。弥生時代の後に古墳時代が登場しますが、土でお墓を作っていた人たちが急に石造りのお墓を作るということは大きな文化の変化があったということです。

石造りのお墓とは石と石とを組みあわせて作るのですが何世代にも亘っての技術継承がなければ作れません。

やがて石造りの大きな古墳が登場しますが、これは誰かが思いついて一代で、一朝一夕に作れるものではありません。何世代にも亘る石造りの技術経験を積んでから次第に規模を大きくしていったものです。

後世の戦国時代に石垣造りの城壁が登場しますが、これとて古墳時代に培った石積み技術が継承されてこそできたことです。

タケルが25歳になったとき事件が起きます。

その頃中国地方の出雲の国では出雲と吉備が争っていました。出雲はネオモンゴロイドですが、吉備は弥生人である新モンゴロイドでした。

出雲の国王は苦戦を強いられていたので、遠縁にあたるネオモンゴロイドの安羅の国に援軍の要請をしました。

しばらく迷った末、安羅の国はこの要請に応じ、タケルを大将として馬とともに出雲に軍隊を派遣します。

安羅と出雲の間は日本海で隔てられています。

当時安羅には大きな船が２艘しかありませんでした。そして、１つの船に乗れたのは兵士50人と馬が２頭だけでした。

安羅軍は釜山付近から、まず山口県の長門に２艘の船で100名と馬４頭が上陸し、野営をしながら残りの軍団が到着するのを待ちました。

兵士は全部で2000名、馬は80頭でしたが、１回の輸送で兵士は100名、馬は４頭しか運べませんでしたので、全部輸送するにはおおよそ１カ月を必要としました。

１カ月後に全員が長門に集結し、安羅軍はタケルを先頭にして、隊列を組んで出雲に向かいました。
当時倭の国には馬はいなかったので、馬に乗った安羅軍を見た道中の人々はびっくりしました。
安羅軍は出雲と連絡をとりながらゆっくりと軍を出雲の方へ進めました。
出雲の近くにタケルの軍隊がたどり着いた頃、吉備軍が出雲を攻めている場面に出くわしました。
丁度そのとき、出雲からの伝令で吉備軍を背後から攻めてほしいという連絡が入りました。
タケルが斥候を出して調べたところ、吉備軍は安羅軍と同数のおよそ2000名ほどだということが分かりました。
そこで安羅軍は500名ほどの兵士に攻めさせ、残りの1500名は隠れて、500名を追ってきた敵兵を挟み撃ちにする作戦をたてました。
これはモンゴル軍が得意とする戦法ですが、最初敵より少ない500名がおとりとなって、少し戦ってわざと負けたように装い退却するのです。敵が退却したと思った吉備軍が追ってきたら、隠れていた多数の安羅軍が突如横や背後から攻め、吉備軍を挟み撃ちにする作戦です。
最初の500名はおとりなので馬も出しませんが、後から突如馬と多数の軍勢が襲ってくるので、戦に勝ったと思い高揚した気分であった吉備軍は突如見たこともない馬に乗った兵士や多数の安羅軍を見て、恐怖のどん底に突き落とされて軍はばらばらになり負けてしまいました。
このときの吉備軍の立場になって考えてみると、最初敵はたいしたことないなと感じ、その後だんだん敵が退いていくので、これは勝ったと思うようになり実際敵が引くのを見て、敵を全滅させようと意気込んで意気揚々と攻めていったのでしょう。が、突如思わぬ方向から多数の敵が現れるので天国から地獄といった感じになります。

誰かが怖気づいてパニックにおちいると軍団は一気に崩れます。この作戦は、精神的にも相手に打撃を与えることができ、精神的打撃を与えた後は容易に勝つことができるので、安羅軍は吉備軍に圧勝しました。

当時新モンゴロイドである弥生人は馬を使っていませんでしたので、吉備にとっては馬とともに攻めてくる敵というのは初めての経験であり、得体の知れない恐怖でした。

また、吉備の剣は鉄ではありましたが、あまり硬くなく、安羅軍の剣は中国から伝わった硬い鉄剣でしたので、馬と硬い鉄剣で攻められてはひとたまりもありませんでした。

この戦いで吉備軍は750名ほどの兵士を失いました。

一方安羅軍の損害は僅か10名ほどでした。

このようにして、安羅軍のおかげで出雲は戦いに勝利しました。

安羅軍は戦に勝利した後出雲に入りましたが、出雲から盛大な歓迎を受けて夜は大宴会になりました。

翌日出雲の国王はタケルに、今後出雲と一緒になって倭国を治めていこうという提案をしてきました。
しかし、一緒といってもタケルはナンバー２ということですし、出雲の国のやり方もタケルには合っていませんでした。
出雲の国には巫女がいて、物事を決めるとき神のお告げのようなものを重要視していました。
タケルも大自然に神を感じてはいましたが、事を決めるときは論理的に自分の考えで行動を起こしていました。
そんなわけで、タケルは出雲国王の提案を丁重に断りました。

そしてこのとき、自分が倭国をまとめて倭国の支配者になれるのではないかという考えが湧き、安羅の国を倭国に移そうと思うようになりました。
そのためには現在の支配者である邪馬台国に取って代わることが求められるので、安羅にいては難しいだろうと思いました。
そこでこの遠征を機に、国を安羅より温暖な関西地方の堺周辺に移すことを決意しました。
堺を選んだのは邪馬台国に近いということと、堺にはいい港があるということが理由でした。
堺周辺には昔から弥生人の豪族がいましたが、安羅軍には馬と鉄剣という強力な武器がありますし、タケルも気持ちよく受け入れてもらうために平和的に交渉したので、新しい土地を確保することができました。

そうしてたいした争いもなく安羅軍は堺周辺を使用できるようになりました。

2　大和朝廷《新しい安羅国》

堺周辺に足場を築いたタケルは安羅の国をこの地域に移転することにしました。

まず住居を作り、その完成後に家族や一族を呼び寄せました。

移動は船で瀬戸内海を航行して、数カ月かけて行いました。

当時の弥生人の住居は現在の吉野ケ里遺跡で見られるように、土を掘ってそこに丸太などで屋根をかけ地面で生活する、エスキモーの家のようなものでした。

しかしタケルたちネオモンゴロイドの家は大分違いました。

元は中国大陸から伝わったものですが、木で床を作り四方は丸太などで壁を張り巡らし、その上に屋根をかけるという現在に近い家の造りでした。

衣装も布をひもで結んだだけというようなものでなく、布を縫って作っていました。

また馬も80頭ほど安羅から連れてきていました。

ですからタケルたちが引っ越してきてからは、近所の人々が彼らを珍しがってよく見に来ました。

当時のクワなどの農機具は木製でしたが、タケルたちは鉄に関する技術を持っていたので鉄で農機具を作りました。

その結果、農作業の効率が非常によくなり農作物の収穫も増え、国が豊かになりました。

タケルはこの移住は正解であったと感じていました。

タケルは新しくできた館に三足烏《３本足のカラス》の旗を立てました。この旗はタケルが先祖から代々受け継いできたもので、それはここを新たな自分の国にするという決断の証でした。

三足烏は３本足のカラスですが、元は中国の神話にでてくる３本足の烏で、高句麗の古墳壁画にも描かれています。

家も完成したのでタケルは妻のレイを安羅から呼び寄せました。

レイはタケルより５歳年下で、武家の妻にふさわしくつつしみ深い腹が座った人でしたが、一方いたって明るい人でした。

ですからレイが来てからの生活は、以前に比べてとても明るくなりました。

堺近辺には安羅だけでなく狗邪韓国から大勢の人々が、タケルの新しい国に移住してきました。

この中には石でお墓を作ることのできる技術者や石工職人も多くいました。

この人たちが、将来近畿地方で大規模古墳を作るときの中心人物になったのです。

ここは狗邪韓国に比べてずっと温暖ですし、自然も豊かだったので人々は満足していました。

タケルたちはこの地域が気に入り、静かで幸せな日々が続きました。

ところが幸せな日々が数年続いた後、レイが病にかかり亡くなってしまいます。

タケルは漠然とレイと一緒に歳をとり老いていくものと考えていましたが、予想外にレイが若くして亡くなってしまったので、若くして死んだレイを可哀そうだという思いと、お互いに性格を補い合って生活をしてきた親しい友を失くしてしまったという寂しさにさいなまれました。

タケルは急に世の中が暗くなったような気持ちになりました。

それでタケルはレイを弔うために、石室を伴った石造りの立派なお墓を作ることにしました。

当時倭の国では土でお墓を作るのが普通でしたが、タケルは先祖からのしきたりである石造りのお墓を、父が亡くなったときと同様に大勢の人手をかけて大規模に作らせました。

レイを失ったことはタケルにとってはショックでしたが、戦争で多くの家来を失ってきたタケルは人の人生にはよくある出来事の一つなのだと自分に言い聞かせて、国王としての仕事に没頭しました。
　当時の弥生人の世の中は何事も占いで決めるという社会でした。
　元は中国から伝わった方法ですが、占いは動物の骨を燃やしそのヒビの入り方などをもとに判断していました。
　タケルはこのような方法を馬鹿にしていて、できるだけ論理的に事を判断しようとしていました。
　言ってみればタケルは後世の織田信長のような性格の人でした。

3　大和朝廷の成立

　当時の倭は小国がたくさんあって、それぞれが自己主張するのでまとまっていませんでした。
　そこで卑弥呼をまとめ役として国王にしたのです。
卑弥呼とはヒメ・ミコ《姫・巫女》という意味で、女性の巫女でした。
　普通の国は、国王がいてその補佐役として巫女が存在するのですが、当時の倭国は巫女が国の代表でした。これは一つには、人々が信心深いというか、論理的ではなく占いとか神のお告げといったようなものに影響され易い人々だったのだろうと思います。
　この性格は最近でも見ることができます。例えば第二次大戦のときに、日本は神の国だから戦争には絶対負けないと多くの国民が信じてしまったということがありました。

他にも最近は持っている人が少なくなりましたが、以前は多くの人がお守りを身に着けることにより災いから身を守ってもらえると信じていました。

タケルたちには馬もあり武力にも圧倒的な自信がありましたが、他国を武力のみで侵略することはしませんでした。

それは遠い昔の中国・秦（シン）の話を聞いていたからです。

秦は圧倒的な武力を持っていましたが、趙（チョウ）と戦ったとき趙の兵士45万人を生き埋めにして殺してしまいました。

これで趙がおじけづいて降参すると思ったのですが、趙の人々はこのことをひどく恨み、一人になるまで戦おうと徹底的に抵抗したのです。

このことがあってから秦は戦い方を反省し、降伏した国を滅ぼすのではなく、体制を維持させて体制ごと秦に従わせるようなやり方に変えていったのです。このこともあって、秦は広大な中国で初めて統一国家を創ることができました。

タケルたちはなるべく平和的にことを運ぼうとしていましたが、抵抗して戦いを仕掛けてくる国もありました。最初に戦いを挑んだのは隣国鬼国（キコク）です。

鬼国とは後の紀国のことであり、紀州《和歌山》のことです。

圧倒的武力や馬を持っていたタケルたちが仕方なく応戦すると、鬼国はすぐに敗北を認めタケルたちの安羅（アラ）に従うことになりました。

この状況を見ていた諸国は安羅にはかなわないという思いを抱くようになりました。

一方安羅の方も、武力だけではなく話し合いや同盟でこの国を統一しようと考えていました。

そこで邪馬台国包囲網を作るべく、近隣の諸国に使いを送り、交渉に乗りだしました。

近隣諸国とは、後世に名前が変わってしまった国々が多いのですが、中には魏志倭人伝に記述されている国もあります。

例として、為吾（イゴ）＝伊賀《三重県》、斯馬（シマ）＝志摩《三重県》などが挙げられます。

タケルは伊賀と志摩にも使者を送り、現在の諸国がいがみ合って国としてまとまっていない状態を改善して、タケルたちを中心とした中央集権国家の設立に協力してくれるよう依頼しました。

伊賀・志摩ともに協力してくれるという返事をくれたので、既に従えていた紀州を含めた、邪馬台国包囲網がほぼ完成しました。

邪馬台国包囲網の外堀を埋めることができたので、倭国統一の第一歩としてタケルは邪馬台国に挨拶に行くことにしました。

邪馬台国を刺激しないよう、最初は少しのお供を連れて当時の首長であるトヨのもとに向かいました。

相手をびっくりさせないよう馬は使わずに徒歩で、お供の者と総勢20名ほどで行きました。

邪馬台に着いてタケルは街の様子に驚きました。

他の国と違って、さすが倭国の中心といった感じで、街には市のような場所が多数あり、商品も倭の各地から送られてきたようで多種多様な品々が店先に並んでいました。

トヨの住んでいる建物も大きな木造建築で、壮大な宮殿といった風情があるものでした。建物の外には大きな楼閣があり、中では兵が監視をしていました。

今回はトヨへの挨拶が目的でしたので、タケルたちの着物もそれにふさわしい、おだやかな服装にしていました。

疑われないよう、布などのトヨへの贈り物も用意していきました。

最初トヨの家臣たちは警戒していましたが、贈り物を見て安心したのか、トヨへの挨拶に応じました。

トヨは13歳で248年に死んだ卑弥呼の跡を継いだのですが、トヨは既に21歳になっていましたので、タケルがトヨに会ったのは256年ということになります。

卑弥呼が亡くなった後、また倭国は乱れてしまい諸国が争いを続けたのですが、諸国が相談した結果卑弥呼のときと同様に巫女であるトヨに国の代表になってもらっていたわけです。

ですからトヨは国王または王女といった風情ではなく、周りから担ぎ上げられて国のトップに座しているといった状態でした。

タケルは初めてトヨを見たときその純粋なあどけない雰囲気に惹かれました。

一方トヨの方も初めはタケルのことを警戒していましたが、タケルの男らしい立ち居振る舞いと爽やかな雰囲気に好意を抱きました。それで二人の話し合いは最初から和やかに進みました。

タケルは武力では既に他国を圧倒していましたし、近隣の諸国とは話し合いで良好な関係を築いていましたので、トヨには安羅国の巫女として安羅に来るよう依頼に行ったのです。

タケルがトヨを訪ねて色々な話をしているうちにタケルとトヨはお互いに惹かれるようになり、いつしか恋に落ちました。

ところがトヨの家臣はこれを快く思わず、タケルを暗殺しようと考えました。

タケルが時間をおいて５度目にトヨを訪ねたとき、事件は起きます。

その日タケルがトヨを訪ねたとき、トヨの家臣が弓でタケルを暗殺しようとして、待ち構えていました。

タケルがトヨを見かけて近寄って話そうとしたとき、家臣がタケルに弓矢を放ちます。

トヨはそれが目に入ったので、タケルをかばう形でタケルの前に立ちはだかりました。

そして家臣がタケルに向けて放った矢がトヨに当たってしまったのです。

トヨはその場に崩れ落ち、ついに死んでしまいました。

邪馬台国を攻めることは考えていませんでしたが、このことに怒ったタケルは自国の軍隊を出して、その家臣及び一族を滅ぼし邪馬台国の跡に自身の国家を築くことにしました。

祖先から引き継いできた３本足の烏（カラス）の旗を掲げて邪馬台に乗り込みました。

これがヤマト朝廷のはじまりです。

これと同じ旗は、八咫烏（ヤタガラス）として、日本の皇室に今でも引き継がれていて、大正・昭和天皇の即位の儀式にも八咫烏ののぼりが並べられました。

第3部　魏志倭人伝　全文

日本で一番古い書物の『古事記』は712年《今から1300年前》に書かれていますが、こちらは語り部《語り継ぐ人》による伝承に基づいて、神話を中心に書かれています。

一方それより400年前《今から1700年前》に書かれた『魏志倭人伝』は中国から日本を訪れた役人の報告書をもとに日本の弥生時代について書いていて、伝説とは違っていわば現地レポートともいえる確かな情報に基づいたものです。私は最後にこの魏志倭人伝の全文を載せることで、皆さんにも当時の様子を身近に知ってほしいと思っています。

中国にとってはただ東方のことを記した1歴史書に過ぎないかもしれませんが、文字も本もなかった日本の弥生時代を書いてくれているのですから、我々日本人にとっては宝物のような書物だと思います。文章の全体量も少なめですから、是非全文に目を通してみてください。少しでも多くの方が日本の古代史に興味を持ち、私の持論が正しいかどうか、明らかにしてくださる方が出てくることを期待しています。

太字で示しているのが元文、次のゴシック体が現代語訳になっています。

さらに理解が難しいと思われる個所には筆者の説明と解説を註として付けています。

それでは1700年前の中国人のレポートによる弥生時

代の日本をとくとご覧ください！
（出典：『魏志倭人伝』岩波文庫、岩波書店）

倭人在帶方東南大海之中　依山島爲國邑　舊百餘國　漢時有朝見者　今使譯所通三十國

倭人は朝鮮半島にある中国の直轄領である帯方郡《現在のソウル近辺》の東南、大海の中に在る。山島に身を寄せて国家機能のある集落を作っている。昔百余国あって、漢の時代に中国に朝見する者がいた。今現在、交流可能な国は三十国である。

註：当時中国の魏の国力が強かったので現在のソウルあたりに魏の直轄領として帯方郡がありました。この魏志倭人伝は中国の一行が帯方郡から倭へ向かって旅立つところから始まります。
倭人《わじん》＝当時の日本人はこう呼ばれていました。

從郡至倭　循海岸水行　歴韓國　乍南乍東　到其北岸狗邪韓國　七千餘里

朝鮮半島にある帯方郡から倭に行くには、海岸に沿って船に乗り、韓国内を通り過ぎ、南へ行ったり東へ行ったりして、その倭の北岸の狗邪韓国（クヤカンコク）に到着する。ここまで帯方郡から七千余里である。

註：倭の狗邪韓国（クヤカンコク）到着後、初めて海を

渡り対馬に行くとあるので狗邪韓国は現在の韓国の地にあることが分かります。

本書が一番注目しているのは倭人が南朝鮮に住んでいたとするこの狗邪韓国のことで、ここに大和朝廷の芽があったと考えています。

始度一海千餘里　至對馬國　其大官日卑狗　副日卑奴母離　所居絶島　方可四百餘里　土地山險　多深林　道路如禽鹿徑　有千餘戸　無良田　食海物自活　乗船南北市糴

狗邪韓国から初めて海を渡り、千余里で対馬国に着く。そこの大官はヒコといい、副官はヒナモリという。この地は絶海の孤島で、およそ四百余里四方である。土地は、山が険しくて深い林が多く、道は獣道のようである。ここには千余戸の家がある。いい田畑はなく海産物を食べて自活している。船に乗って南の九州や北の狗邪韓国へ行き、商いして米などの食料を買い入れている。

註：對海國＝対馬　千余戸と書いているので当時対馬の人口は４千人くらいであったと思われます。

又南渡一海千餘里　名日瀚海　至一大國　官亦日卑狗　副日卑奴母離　方可三百里　多竹木叢林　有三千許家

差有田地　耕田猶不足食　亦南北市糴

またさらに、南に海を行く。千余里。国名はカン海という。壱岐国に至る。官は、また対馬国と同じく、ヒコといい、副官はヒナモリという。島はおよそ三百里四方。竹、木、草むら、林が多い。三千ばかりの家がある。いくらかの田畑がある。田畑を耕しても、やはり、住民を養うには足りないので、また対馬国と同様に、南北に行き、商いして米などを買い入れている。

註：一大國＝壱岐のこと。

又渡一海千餘里　至末盧國　有四千餘戸　濱山海居　草木茂盛　行不見前人　好捕魚鰒　水無深淺　皆沈沒取之

また、船にて海を行く。千余里。末盧国《マツラ＝長崎県松浦》に至る。四千余戸があり、山と海の間を海岸に沿って住んでいる。草木が盛んに茂っているので、歩くとき、前の人が草木に隠れて見えない。ここの人は魚やアワビを捕ることが好きで、深いところでも浅いところでも、皆海に潜ってこれを取っている。

註：末盧国（マツラ）とは現在の長崎県松浦市のこと。
４千戸といっているのでここの人口は当時１万６千人ぐらい。

東南陸行五百里　到伊都國　官日爾支　副日泄謨觚・柄渠觚　有千餘戸　世有王　皆統屬女王國　郡使往來常所駐

使節団一行は松浦で船を降り徒歩で東南に陸上を五百里行くと伊都国《イト＝福岡県糸島》に到着する。官はヌシといい、副官はセモコ、エキョコという。千余戸が有る。代々、王がいて卑弥呼の女王国に従属している。帯方郡からの使者が往来し、常に使者が立ち寄るところである。

註：伊都国とは現在の福岡県糸島市のこと。使者が常に立ち寄ると言っているし糸島にはいい港があるので当時伊都国は入国管理局のような場所であったようです。

東南至奴國百里　官日兕馬觚　副日卑奴母離　有二萬餘戸

伊都国《糸島》から徒歩で東南に百里行くと奴国（ナコク）に至る。官はシマコといい、副官はヒナモリという。二万余戸が有る。

註：奴国（ナコク）とはあの有名な福岡県の志賀島で出土した金印に書いてある奴国《漢委奴國王＝漢ノ倭

ノ奴國ノ王という印で委という字は倭の略字》で現在の福岡あたりと言われています。この印は漢の時代に奴国の王が当時の中国皇帝より授かったものです。奴国の住居は２万戸と言っているので８万人くらいいたようなので当時としては大国であったようです。

古来より中国には中華思想というものがあって、中華とは中国が世界の中心の華《花》であり、周りの従わない諸国は南蛮とか東夷と呼び、野蛮人だと思い見下していたのです。中国に貢物を贈り挨拶《朝貢》に行き、従う意思を示す場合には冊封という制度で中国皇帝より金印などを貰うことができ、国を属国として認めてもらえたのです。

最近では薩摩に攻められる前の琉球《沖縄》がそうでした。奴国にあった金印も魏の前の時代の漢からこのような流れのなかで貰ったもので、この後卑弥呼も「親魏倭王」＝《魏に仕える倭の王》として金印を貰いますが同じことです。

東行至不彌國百里　官日多模　副日卑奴母離　有千餘家

奴国から徒歩でさらに東に百里行くと不弥国《フミコク＝現在の地名は不明》に至る。官はタモといい、副官はヒナモリという。千余りの家がある。

註：不弥国の現在の地名は不明ですがここから再び船に乗るので海岸沿いであることと奴国からの距離を考慮すると福岡県古賀市あたりと推測されます。ここまでは誰が読んでも問題なく旅程が解るのですが、この後船で何日とか徒歩で一月とか表現が大雑把になるので、読む人が惑わされているのです。

南至投馬國水行二十日　官日彌彌　副日彌彌那利　可五萬餘戸

不弥国から再び船に乗り南に二十日行くと投馬国に至る。官はミミといい、副官はミミナリという。およそ五万余戸《人口は 20 万人ぐらい》がある。

註：福岡近辺から船で南に二十日航行したら太平洋に出て沖縄近くまで行ってしまいます。筆者はこれは魏志倭人伝の編者《陳寿》が読者の目をあざむくための罠であり実際は東に向かったと考えています。
二十日航行したら投馬国に着くとありますが発音で近いのは日本海側にある但馬です。しかしそんなに多くの人口が但馬にいたとは思えません。少し離れていますが日本海側には出雲があるので人口の多さを考慮に入れると出雲のことを投馬国と言ったと筆者は考えています。

南至邪馬壹國　女王之所都　水行十日・陸行一月　官有伊支馬　次日彌馬升　次日彌馬獲支　次日奴佳鞮　可七萬餘戸

投馬国から南《実際は東》に十日航行し、その後徒歩で一月かけて邪馬台国に着く。女王の都である。官にイシマがいる。次はミマショウといい、次はミマトシといい、次はナカテイという。およそ七万戸《28万人》の住居がある。

註：瀬戸内海を通って大和に向かうと、大阪近辺に上陸してもそこから邪馬台までいくら獣道でも、徒歩で1カ月はかかりません。それで一行は日本海沿いに進んだと思っています。投馬《出雲？》の後に船で10日かけて舞鶴あたりまで行き、そこから徒歩で1カ月かけて邪馬台に向かったと思います。邪馬台には当時28万人ほどの人が住んでいたようです。ここがあの有名な邪馬台国です。

自女王國以北　其戸數道里可略載　其餘旁國遠絶不可得詳　次有斯馬國　次有己百支國　次有伊邪國　次有郡支國　次有彌奴國　次有好古都國　次有不呼國　次有姐奴國　次有對蘇國　次有蘇奴國　次有呼邑國　次有華奴蘇奴國　次有鬼國　次有爲吾國　次有鬼奴國　次有邪馬國　次有躬臣國　次有巴利國　次有支惟國　次有烏奴國　次

有奴國　此女王境界所盡

女王国より以北は、その戸数や距離のだいたいのところを記載できるが、その他まわりの国々は遠くて情報もなく、詳しく知ることはできない。次にシマ国が有る。次にシハクシ国がある。次にイヤ国がある。次にトシ国がある。次にミナ国がある。次にハコト国がある。次にフミ国がある。次にショウナ国がある。次にタイソ国がある。次にソナ国がある。次にコイフ国がある。次にカナソナ国がある。次にキ国がある。次にヰゴ国がある。次にキナ国がある。次にヤマ国がある。次にキュウシン国がある。次にオハリ国がある。次にシイ国がある。次にヲナ国がある。次にナ国がある。ここは女王の境界の尽きるところである。

註：邪馬台国周辺の国の名前が書いてあります。斯馬國（シマ）＝志摩《三重県の伊勢志摩》、鬼國（キ）＝紀州《和歌山県の古い言い方》、爲吾國（イゴ）＝伊賀《三重県伊賀》、彌奴國（ミナ）＝美濃、巴利國（オハリ）＝尾張の可能性が高いと思われます。

其南有狗奴國　男子爲王　其官有狗古智卑狗　不屬女王自郡至女王國萬二千餘里

その《女王国の》南に狗奴（クナ）国があり、男子が王になっている。その官は狗古智卑狗（クコチヒコ）という。女王には属していない。帯方郡より女王国に至るまで、一万二千余里である。

註：女王《卑弥呼》に従っていない狗奴国のことが書いてあります。つまり卑弥呼は倭国全体を掌握していたわけではなかったことが分かります。また色々な国名を書いた後、唐突に帯方郡から女王国である邪馬台国までの距離が１万２千里余りと書いていて、直線距離なら帯方郡から大和までその通りですが、当時の距離の計測方法が分からないので真意のほどは不明です。

男子無大小　皆黥面文身　自古以來　其使詣中國　皆自稱大夫　夏后少康之子　封於會稽　斷髪文身　以避蛟龍之害　今倭水人　好沈沒捕魚蛤　文身亦以厭大魚水禽後稍以爲飾　諸國文身各異　或左或右　或大或小　尊卑有差　計其道里　當在會稽東治之東

男子は大人、子供の区別無く、皆、顔と体に入れ墨をしている。ずっと以前より倭の使者が中国に来たときには、皆、自らを大夫と称した。夏后王朝の五代目の王少康の子は、会稽に領地を与えられると、髪を切り、体に入れ墨して蛟龍の害を避けた。今、倭の漁民は、潜って魚や蛤を捕ることを好み、入れ墨はまた

《少康の子と同様に》大魚や水鳥を追い払うためであったが、しだいに飾りとなった。諸国の入れ墨はそれぞれ異なっていて、左にあったり、右にあったり、大きかったり、小さかったり、身分の尊卑によって違いがある。その女王国までの道のりを計算すると、まさに《中国の》会稽から東冶にかけての東にある。

註：蛟龍とは龍の一つ手前の水中の生き物で、いきなり龍が存在するのではなく、出世魚のごとく変化して最後に龍となるようです。少康の子の話や会稽から東冶の説明は、この文章が当時の中国人に向けてのものなので、これを読む中国人にとって分かり易いたとえとして書かれています。従って時代も場所も違う我々には簡単に理解できない文章となっています。
倭人は、皆、顔と体に入れ墨をしていると書いてありますが、我々の知っている昔の人は絵の中にも入れ墨をした人はでてきません。しかし実際顔や全身に入れ墨をしたような土偶や粘土に描いた絵が日本の遺跡から多数出土しています。それで縄文時代から弥生時代にかけて鯨面《顔に入れ墨をすること》文身《体に入れ墨をすること》の習慣は確かにあったようです。ところが３世紀の大和地方だけはこの土偶の出土がありません。そして大和朝廷では罪人の顔に罰として入れ墨をするようになります。つま

り３世紀頃大和地方に大きな文化の変化があったようで大和朝廷を作った人々により鯨面文身の習慣が廃止されたようです。

其風俗不淫　男子皆露紒　以木緜招頭　其衣横幅　但結束相連　略無縫　婦人被髪屈紒　作衣如單被　穿其中央貫頭衣之

その風俗はみだらではない。男子は皆、結った髪を露出しており、木綿で頭を縛り付けている。その着物は横幅が有り、ただ結び付けてつなげているだけで、ほとんど縫っていない。婦人はおでこを髪で覆い折り曲げて結っている。衣服は単衣《ヒトエ》の夜着のように作り、その中央に穴をあけ、そこに頭を通して着ている。

註：木綿で頭を縛り付けているというのはハチマキのことだと思われます。女性の服はムームーのようなものだったようです。

種禾稲紵麻　蠶桑緝績　出細紵縑緜　其地無牛馬虎豹羊鵲　兵用矛楯木弓　木弓短下長上　竹箭或鐵鏃　或骨鏃所有無與儋耳・朱崖同

稲や紵麻（カラムシ）を栽培し、養蚕をしている。紡いで目の細かいカラムシの布や絹・絹綿を生産している。その土地には牛、馬、虎、豹、羊、カササギがいない。兵器には矛、盾、木の弓を用いる。木の弓は下が短く上が長い。竹の矢は鉄のヤジリであったり、骨のヤジリであったりする。持っている物、いない物は中国・海南島の儋耳、朱崖と同じである。

註：紵麻（カラムシ）というのはイラクサ科の多年生植物でこの繊維を使って布を織っていました。麻の一種だと思ってください。西暦250年頃には日本では布ばかりではなく絹織物も生産されていたことが書いてあります。カササギと言っていますがニワトリのことのようです。ここでも中国の読者に分かり易いよう中国の南部にある海南島地域と比較して持ち物は似たような状態であると言っているのです。

倭地温暖　冬夏食生菜　皆徒跣　有屋室　父母兄弟臥息異處　以朱丹塗其身體　如中國用粉也　食飲用籩豆　手食

倭の地は温暖で、冬でも夏でも生野菜を食べている。皆裸足である。屋根、部屋がある。父母・兄弟はそれぞれ別の場所で横になって休む。赤い顔料をその体に塗るが、それは中国で粉おしろいを使うようなものである。飲食には、籩《ヘン＝果実類を盛る竹製の器》

や豆《トウ＝肉類を盛る木製の器》を用い、手づかみで食べている。

註：赤い顔料をその体に塗るというのは、イメージしにくいですが現在でも歌舞伎を見ると役者が顔に赤い化粧をしていますのでこれも古代からの何らかの継承ではないかと思われます。
当時は箸もスプーンも無かったので手づかみで食事をしていました。ただ竹や木で作った食器は使っていたようです。

其死有棺無槨　封土作冢　始死停喪十餘日　當時不食肉　喪主哭泣　他人就歌舞飲酒　已葬　擧家詣水中澡浴　以如練沐

人が死ぬと棺に納めるが、中国では棺を入れる外側の入れ物である槨（カク）があるがこの国にそれはない。土で封じて盛った墓を作る。初め、死ぬと死体を埋めないで殯（モガリ）する期間は十余日。その間は肉を食べず、喪主は泣き叫び、他人は歌い踊って酒を飲む。埋葬が終わると一家そろって水の中に入り、洗ったり浴びたりする。それは中国の練沐《白い絹の喪服を着て沐浴する》のようなものである。

註：殯（モガリ）とは日本の古代に行われていた葬送儀

礼で、死者を埋葬するまでの長い期間遺体を納棺して仮安置し、別れを惜しむ儀式で本当に死んだかどうか確認する意味もあったようです。日本の最近までの通夜でも、遺族が静かに悲しんでいる周りで、弔問客が飲んだり食べたりにぎやかにしている風景が普通でした。

其行來渡海詣中國　恆使一人不梳頭　不去蟣蝨　衣服垢汚　不食肉　不近婦人　如喪人　名之爲持衰　若行者吉善　共顧其生口財物　若有疾病　遭暴害　便欲殺之　謂其持衰不謹

海を渡って倭から中国に来る際は常に一人に、髪に櫛を入れず、シラミを取らせず、衣服をアカで汚したままにさせ、肉を食べさせず、婦人を近づけさせないで喪中の人のようにさせる。これをジサイという。もし無事に中国に行けたなら、皆でジサイに生口や財物を対価として与えるが、もし旅人が病気になったり、危険な目にあったりすると、このジサイを殺そうとする。そのジサイのつつしみが足りなかったせいであるというのである。

註：生口＝奴隷　弥生時代には既に身分制度があったようで召使の最下層に奴婢というような人々がいてこの人たちが生口《奴隷》になったと思われます。ま

た、このジサイのように古代の日本では占いや迷信の類が日常的に行われていたようです。

出真珠・青玉　其山有丹　其木有柟・杼・豫樟・楺・櫪・投・橿・烏號・楓香　其竹篠・簳・桃支　有薑・橘・椒・蘘荷　不知以爲滋味　有獼猿・黒雉

この地では真珠や青玉を産出する。その山には丹がある。この地の木には、楠（タブノキ）や杼（クヌギ）、橡樟（クロモジやクスノキ）、楺櫪（ジュウレキ）、投（トウ）や橿（モチノキ）、烏号（ウゴウ）、楓果樹がある。竹にはササ《篠》、ヤダケ《簳》、真竹《桃支》がある。ショウガや橘、山椒、茗荷などがあるが、これらを料理の調味料としては利用していない。また猿や雉がいる。

註：青玉＝緑柱石《エメラルド類で日本でも多少取れます》　丹＝赤い色の鉱物《丹頂鶴の頭の赤い色です》植物については今から1700年も昔なのに中国では木の種類をこんなにも細かく分類していたということに感心させられます。橘というのは柑橘類ですが日本では食用にはしていません。山椒や茗荷と一緒に書いていますから当時中国ではカボスやスダチのように使用していたのかもしれません。

其俗擧事行來　有所云爲　輒灼骨而卜　以占吉凶　先告所卜　其辭如令龜法　視火坼占兆

この国の風俗では、何かをするときや、どこかへ行き来するとき、ひっかかりがあると、すぐに骨を焼いて吉凶を占いお告げを受ける。お告げの言葉は中国の占いである令亀法に似ている。令亀法とは火によってできた亀の甲の裂け目を見て、兆しを占うのである。

註：古代中国では亀の甲羅を焼いてそのヒビの入りぐあいや方向で占いをしていました。倭人もこの占いのやり方を学んでいたようです。

其會同坐起　父子男女無別　人性嗜酒

彼らは宴に集まり、座ったり立ったりして過ごすが親子・男女の区別なく一緒に集う。彼らは生来の酒好きである。

註：当時はもう酒があって老若男女が一緒に宴をしていたのですね。

見大人所敬　但搏手以當跪拜　其人壽考　或百年　或八九十年

目上の人を見て敬意を表す場合は、手で柏手を打って、両膝を床につけて丁重に拝礼しなければならない。人々は長寿で或いは百歳、或いは八、九十歳の者もいる。

註：目上の人に接するとき神社でお参りするときのように柏手を打って膝をついて挨拶をしていたようです。また日本人はこんな昔から長寿だったのですね。というより現代人もこの長寿のＤＮＡを引き継いでいるのですね。

其俗國大人皆四五婦　下戸或二三婦　婦人不淫　不妒忌　不盜竊　少諍訟　其犯法　輕者沒其妻子　重者滅其門戸及宗族　尊卑各有差序　足相臣服

その習俗では、国の身分の高い人は皆四、五人の妻を持ち、身分の低い人でも二、三人の妻を持つことがある。婦人は貞節で嫉妬しない。人々は窃盗せず、訴えごとも少ない。その法を犯すと軽いものは妻子を没収し、重いものはその一家や一族を処分する。尊卑にはそれぞれ差や序列があり、上の者に服従して保たれている。

註：身分の上下ということがこの時代《弥生時代》にはもう既にあったということが分かります。軽い罪を

犯した者は妻子を没収され奴婢にされたようです。罪の重い者は死刑になったようです。

収租賦　有邸閣　國國有市　交易有無　使大倭監之

年貢を徴収し、保管用の役所の大倉庫がある。国々に市があってある物とない物を交易し、大倭にこれを監督させている。

註：国々に市があって交易していたのですね。これらの市を管理する大倭とは中央官庁としての邪馬台国です。

自女王國以北　特置一大率　検察諸國　諸國畏憚之　常治伊都國　於國中有如刺史　王遣使詣京都・帯方郡・諸韓國　及郡使倭國　皆臨津捜露　傳送文書・賜遺之物詣女王　不得差錯

女王国より以北には、特に一人の高官を置いて検閲し、諸国はこれを恐れはばかっている。この高官は常に伊都国で政務を執っている。中国における州の長官のような存在である。邪馬台国の王が使者を派遣し、魏の都や帯方郡、諸韓国に行くとき、及び帯方郡の使者が倭国へやって来たときには、いつもこの高官が港に出向いて調査、確認する。文書や授けられた贈り物を女王のもとへ届けるが、数の違いや間違いは許されない。

註：女王の代理人として一人の高官を伊都国に派遣し、ここで出入国管理や他国からの贈り物の管理をしていたと書いてあります。数の違いや間違いは許されないとあるのでこの高官は厳しく女王に管理されていることが分かります。

下戸與大人相逢道路　逡巡入草　傳辭說事　或蹲或跪　兩手據地　爲之恭敬　對應聲日噫　比如然諾

下層階級の者が目上の人に道で出逢ったときは、戸惑ったようにして道端の草に入る。言葉を伝えたり、物事を説明するときには、しゃがんだり、跪いたりして、両手を地に付け、うやうやしさを表現するためいわゆる土下座をする。目上の人の返答の声は「アイ」という。中国で承知したことを表す然諾《ゼンダクー承諾》と同じようなものである。

註：こんなに古い時代から土下座があり、それが現在まで続いているのですね。時代劇などで殿様などが家来に向かって「あい。分かった」と言っていますが「アイ」はこの頃から言っていたのですね。

其國本亦以男子爲王　住七八十年　倭國亂　相攻伐歴年　乃共立一女子爲王　名日卑彌呼　事鬼道　能惑衆　年已長大　無夫壻　有男弟　佐治國　自爲王以来　少有見者　以婢千人自侍　唯有男子一人　給飲食　傳辭出入居處　宮室・樓觀・城柵嚴設　常有人持兵守衛

この国は、元々は、男子を王としていた。国ができてから七、八十年後、倭国は乱れ互いに攻撃しあって年月が過ぎた。そこで、一女子をともに立てて女王とした。その女王の名は卑弥呼という。この女王は鬼道の占いを行い、人々を上手く惑わせる。非常に高齢で、夫はなく、弟がいて国を治めるのを助けている。女王となってから、会った人は僅かしかいない。侍女は千人ほどいるが指示をしなくても皆自発的に動く。ただ、男子一人《弟》が、飲食物を運んだり言葉を伝えたりするため、女王の住んでいるところに出入りしている。宮殿や高楼は城柵が厳重に作られ、常に人がいて、武器を持ち護衛している。

註：魏の使者が卑弥呼に会ったときの説明ですが卑弥呼に会ったのは彼女が老齢になっていたときのようです。卑弥呼は鬼道を行うとありますが、彼女はいわゆるシャーマンだったのです。

女王國東渡海千餘里　復有國　皆倭種　又有侏儒國　在

其南　人長三四尺　去女王四千餘里　又有裸國・黒齒國復在其東南　船行一年可至

女王国の東、海を渡って千余里行くと、また国が有り、皆、倭種である。また、侏儒国がその女王国の南にある。人の背丈は三、四尺《72㎝～96㎝》で、女王国を去ること四千余里。また、裸国と黒歯国があり、また、その女王国の東南にある。船で一年行くとたどり着く。

註：ここに書いてあることは直接調査したわけではなく、人からの言い伝えみたいなことを元にしているようです。ですから内容も船で１年行ったら到着するなど大まかです。南洋に行ったらそういう国があるみたいだよ程度の話です。

參問倭地　絶在海中洲島之上　或絶或連　周旋可五千餘里

倭の地について考えてみると、遠く離れた海中の島々の上にあり、島々は離れたり連なったり、巡り巡って五千余里ほどである。

註：ここも具体的に調査をした結果というより、色々な人の話をまとめてみると倭はこのようなものである

という話です。

景初二年六月　倭女王遣大夫難升米等詣郡　求詣天子朝獻　太守劉夏遣吏　將送詣京都　其年十二月　詔書報倭女王曰

西暦238年6月、倭の女王は、高官の難升米などを帯方郡へ派遣して、中国の天子にお目通りして献上品をささげたいと願いでた。帯方郡の太守の劉夏は官吏を派遣し、難升米などを引率して中国に送らせ、当時の都の洛陽に到着した。その年の12月、中国の皇帝の詔書が倭の女王に報いて、こう言う。

註：238年に難升米《倭の高官の名前》が帯方郡の官吏に導かれて当時の魏の都の洛陽に貢物を献上しに行ったという話です。倭は冊封を意識していたかどうかは定かではないのですが、結果としてこの行為が魏との冊封関係に発展していきます。

制詔親魏倭王卑彌呼　帶方太守劉夏　遣使送汝大夫難升米・次使都市牛利　奉汝所獻男生口四人・女生口六人・斑布二匹二丈以到　汝所在踰遠　乃遣使貢獻　是汝之忠孝　我甚哀汝　今以汝爲親魏倭王　假金印紫綬　裝封付帶方太守假授　汝其綏撫種人　勉爲孝順　汝來使難升米・牛利渉遠　道路勤勞　今以難升米爲率善中郎將　牛

利爲率善校尉　假銀印青綬　引見勞賜遣還　今以絳地交龍錦五匹・絳地縐粟罽十張・蒨絳五十匹・紺青五十匹答汝所獻貢直　又特賜汝紺地句文錦三匹・細班華罽五張・白絹五十匹・金八兩・五尺刀二口・銅鏡百枚・眞珠・鉛丹各五十斤　皆裝封付難升米・牛利　還到録受悉可以示汝國中人　使知國家哀汝　故鄭重賜汝好物也

制詔、親魏倭王卑弥呼。《魏に仕える倭の王　卑弥呼にもの申す》
帯方郡の太守、劉夏が使者を派遣し、汝の高官、難升米と副官、都市牛利を引率し、汝の献上した男の奴隷四人、女の奴隷六人、上質な布二匹二丈《20ｍ》をささげて到着した。汝の住んでいる場所は遠いという表現を遥かに超えている。にも拘らず使者を派遣し、貢ぎ物を献じるのは汝の忠誠心のあらわれである。私は汝をはなはだいとおしく思う。今、汝を親魏倭王《魏に仕える倭の王》となし、金印紫綬《紫のひもの付いた金印》を与え、密封して帯方太守に託すことで仮に授けておく。汝は一族の者の意見をまとめ、私に忠義をつくすよう努めよ。汝の使者、難升米と牛利は遠くから渡ってきて道中苦労している。今、難升米を率善中郎将に任命し、牛利は率善校尉に任命する。彼らには銀印青綬《青いひもの付いた銀印》を与え、面会してねぎらい、下賜品《贈り物》を与えて帰途につかせる。今、絳地交龍錦五匹、絳地縐粟罽十張、蒨絳五十匹、紺青五十匹を以って、汝が献上した貢ぎ物の見返りとして与える。また、特に汝に紺地句文錦三匹、細班華罽五張、白絹五十匹、金八両、五尺刀二口、銅鏡百枚、真珠、鉛丹各五十斤を賜り、皆、密封して難升米と牛利に託す。帰り着いたなら記録にとどめてから受け取り、ことごとく、汝の国中の人に示し、我が国が倭をいとおしんでいることを周知してほしい。そのために丁重に汝の好物と思われる贈り物をつかわすのである。

註：238年の6月に難升米《倭の高官の名前》が副官の都市牛利と貢物を持って洛陽に行きました。
その年の12月に中国の皇帝は遥か遠方からの朝見に感激し、難升米と副官の都市牛利に位と贈り物を授け、さらに卑弥呼にも返礼として各種の宝物を授ける話です。これらのやり取りが冊封関係の手順の一つとなっているのです。
これは冊封関係を樹立するための行為ですが、返礼品を帯方郡の太守に仮に授けておくという意味は卑弥呼からの正式な返答を待っていて、倭が国内の意見を取りまとめて、忠誠を誓う正式な返事をくれたら渡すということです。つまり倭は最初の段階でははっきりと忠誠を誓っていないようなので、国論を一致させ魏への忠誠を誓うことを求めているのです。
この後出てくる匹というのは織物の長さの単位です

《匹は約９m》。

倭から魏への贈り物＝男の奴隷四人、女の奴隷六人、上質な布二匹二丈《20 m》。

魏から倭への返礼品＝絳地交龍錦五匹《赤地に錦の龍を織り込んだ布 45 m》、絳地縐粟罽十張《赤地のカーペット 10 枚》、蒨絳五十匹《赤系統の布 45 m》、紺青五十匹《青系統の布 45 m》。

さらに特別に卑弥呼に紺地句文錦三匹《紺地に錦の模様が入っている布 27 m》、白絹五十匹《白絹 45 m》金八両、五尺刀二口《1.5 m ぐらいの刀２本》、銅鏡百枚、真珠鉛丹各五十斤《真珠と体に塗る赤い鉱物各 10 kg くらい》と卑弥呼が差し出した贈り物に比べれば格段に豪華です。

原始的な生活を送っていた当時の日本人にしてみたら、目もくらむような宝物だったと思います。

こんなにあげるのだから魏に忠誠を誓う正式な回答をよこしなさいということでしょう。

正始元年　太守弓遵遣建中校尉梯儁等　奉詔書印綬　詣倭國　拜假倭王　并齎詔　賜金帛・錦罽・刀・鏡・采物　倭王因使上表　答謝詔恩

西暦 240 年帯方郡の太守、弓遵は建中校尉梯儁などを派遣し詔書、印綬《親魏倭王という地位の認証状と印綬》を持って倭国へ行き、これを倭王に授けた。同時に、詔《みことのり》を伝え、金、布、絨毯、刀、鏡、顔料を賜った。倭王は使者に対して文書をもって、その有り難い詔《みことのり》や贈り物に感謝の意を表して答えた。

註：238 年に詔書や贈り物が帯方郡にて保管され２年後の 240 年に帯方郡の高官が倭に出向いて届けたときの様子がこの文章です。
この２年間に邪馬台国は国内の意見を取りまとめて冊封に同意する旨魏に伝えたのでしょう。さらに贈り物や詔書に対して文書にて謝意を表しています。

其四年　倭王復遣使大夫伊聲耆・掖邪拘等八人　上獻生口・倭錦・絳青縑・緜衣・帛布・丹・木猾短弓矢　掖邪狗等壹拜率善中郎將印綬

西暦 243 年、倭王は再び高官の伊聲耆、掖邪狗など八人を帯方郡に派遣し、奴隷や倭の布、赤、青の目の細かい絹織物、綿の着物、白い布、赤色の鉱物、木の握りの付いた短い弓、矢を魏に献上した。このとき倭の高官などは全員率善中郎将の位と印綬を授けられた。

註：240 年に魏から色々贈られた３年後に倭が返礼として再び魏に８名送って、同時に奴隷や布類を魏に献

上したという話です。

其六年　詔賜倭難升米黄幢　付郡假授

西暦245年、倭の難升米に魏の配下としての黄色い軍旗を賜り、帯方郡経由でこれを授けた。

註：245年に魏と倭の冊封関係を明確にするため魏の配下としての黄色い軍旗を授け、近隣諸国に知らしめたということです。

其八年　太守王頎到官　倭女王卑彌呼與狗奴國男王卑彌弓呼素不和　遣倭載斯烏越等詣郡　説相攻撃状　遣塞曹掾史張政等　因齎詔書・黄幢　拜假難升米　爲檄告喩之

西暦247年、《弓遵の戦死を受けて》帯方郡太守の王頎が着任した。倭女王の卑弥呼は狗奴国の男王、卑弥弓呼素と仲が悪く、倭の載斯烏越などを帯方郡に派遣して、狗奴国との戦争に加勢してくれるよう頼んだ。《王頎は》塞曹掾史の張政などを派遣し、加勢はできないが詔書、黄幢《軍旗》を渡して難升米に授け、檄文《激励や作戦》を作り、これを告げて諭した。

註：247年に邪馬台国は争っていた狗奴国との戦いに魏の援軍を要請したのですが、魏は受け入れてくれず

代わりに軍旗を渡してくれました。この旗を狗奴国に見せつけることで、あたかも邪馬台国の後ろに魏がいるように振る舞い、それにより狗奴国の戦意をそぐ作戦を授けられたようです。

卑彌呼以死　大作冢　徑百餘歩　徇葬者奴婢百餘人　更立男王　國中不服　更相誅殺　當時殺千餘人　復立卑彌呼宗女壹與年十三爲王　國中遂定　政等以檄告喩壹與

卑弥呼が死んだので、大きい塚を作った。直径は百余歩。徇葬者は男女の奴隷、百余人である。その後再び男王を立てたが、国中が不服で互いに殺しあった。当時千余人が殺された。それで卑弥呼の長女、十三歳の壹与（トヨ）を立てて王と為し、国中が遂に安定した。張政たちは檄をもって壹与（トヨ）に教え諭した。

註：卑弥呼の墓には 100 人くらいの召使が一緒に葬られているそうなので 100 体近い人骨を伴った墓が発見されれば、それが卑弥呼の墓ということになるのですが、現在までのところそのような墓は発見されていません。張政たちが壹与（トヨ）に与えた檄《助言》とは、卑弥呼が死んだので後を継いだ壹与（トヨ）に冊封関係を維持するため、再び中国に朝見しなさいということのようです。

壹與遣倭大夫率善中郎將掖邪拘等二十人　送政等還　因詣臺　獻上男女生口三十人　貢白珠五千孔・青大勾珠二枚・異文雜錦二十匹

壹与（トヨ）は高官の率善中郎将、掖邪拘など二十人を派遣して、魏の張政などが国へ帰るのに帯同させた。彼らは見送りかたがた、都まで行き、男女の生口《奴隷》三十人を献上し、白珠五千孔《真珠五千個》、青大句珠二枚《大きな青い勾玉２枚》、模様の異なる雑布二十匹《180 m》を貢いだ。

註：壹与（トヨ）は魏の張政の檄に従い冊封を維持するため倭の高官 20 人を張政が国へ帰るのに同道させて、魏に参上し同時に奴隷 30 人や真珠などを貢物として贈ったという話ですが、ここで魏志倭人伝は終わっています。

付記　縄文時代について

魏志倭人伝と大和朝廷の成立について書き終えてみましたが、唐突に一つの時代を書いても現在とのつながりが理解しにくいだろうと考えました。

そこで、縄文時代を含めて日本列島へ来た最初の人類たちの歩みを書いて読者にご紹介すれば、私の書いた弥生時代の話と現代までのつながりが、系統的に理解していただけるものと考えましたので、縄文時代などについての簡単な文章を付記することにしました。

以前にも書きましたが、日本列島に最初に人類が到達したのはおよそ3万8千年前です。人類のスタートは10万年前のアフリカ大陸ですから、6万年以上かけてアフリカから日本周辺にまでやってきたことになります。

しかし、ここで当時の気候について知らなければなりません。

地球には4万年～10万年をサイクルとして氷期がやって来ています。氷期と氷期の間を間氷期と呼びます。つまり氷期～間氷期～氷期と繰り返すのです。現在から見て最後の氷期は7万年前～1万1700年前でした。（これを最終氷期と呼んでいますが、本当に最終かどうかは分かりません）

現在は氷期は終わっていますので間氷期ということになります。

人類は、頑張って人工衛星を地球の周りに飛ばしていますし、月に行ったこともあります。しかしこの程度では、宇宙について1000学ばなければならないことがあるとしたら１にも満たないレベルでしょう。地震があると、よく将来の地震について専門家という人が想定震度いくつの地震が30年以内に起きる可能性があるなどと言っていますが、自然に対する人類の知識などというものは宇宙全体を1000としたら１にも満たない知識ですから、地震の予測などということは不可能だと思っています。だから、いつも何か起こる度に「想定外でした！」などと言っているのです。

同じ理屈で、前回の氷期が最終氷期などということは、希望的観測に過ぎないと思います。何万年後かにまた氷期が来るかもしれません。

ところで、日本列島に最初に人類が到達した３万８千年前は氷期でした。氷期に何が起こるかというと、寒くなるのはもちろんですが、地球上の多くの水分が氷という形で地上に蓄えられます。そうすると海の水位が大きく下がるのです。３万８千年前の氷期に日本列島の周りの水位も100ｍぐらい下がっていたのです。日本列島の周りの水位が100ｍぐらい下がった状態になると、北海道などは樺太やシベリアと陸続きになりました。この現象は世界的に起きますから、例えばシベリアとアラスカは陸続きということになります。現在はその間にベーリング海峡という海がありますが、その当時は海はなく、ベーリング峡谷という状態になっていました。

それで、シベリアからアメリカ大陸に、マンモスも行きましたし人も行きました。アメリカのインディアンや中南米のインディオはモンゴロイドですが、彼らはこのような時期にシベリアから渡ってきた人々の子孫なので、モンゴロイドなのです。以前日本のテレビ番組で、その番組の名物ディレクター一行はアマゾンの奥地に入っていきました。その奥地で出会った人の顔を見たら、この人が東京に住んでいても何の違和感も抱かせない顔であったのでビックリしました。インディオはモンゴロイドなのです。

氷期には、シベリアと北海道も陸続きでしたから、北海道でもマンモスの化石が発見されています。当時はマンモスの他にもナウマンゾウという大型動物もいましたから、日本列島に食料となる大型動物を追ってきた人々は、このナウマンゾウとオオツノジカを主な獲物にしていたようです。北海道だけでなく、九州も朝鮮半島と一部陸続きの時代があったようで、ナウマンゾウやオオツノジカはこのルートで日本列島に来たといわれています。ナウマンゾウやオオツノジカを追ってこの朝鮮半島ルートからも人類が日本列島にやって来ました。それでも、この時代日本列島にやってきた人類は全部で1万人にも満たなかったようです。日本列島にナウマンゾウがいた証拠としては、長野県の野尻湖でナウマンゾウの化石が大量に発見されています。

しかし、この時代はまだ縄文時代ではなく石器時代と言います。日本に石器時代があると判明したのは1949年です。それ以前は日本に石器時代はなく、いきなり縄文時代から始まったと考えられていました。しかし1949年に群馬県の岩宿遺跡と呼ばれる場所で、初めて日本でも石器が出土したのです。それで日本にも石器時代があったことが分かりました。

石器時代も２種類あって石を割って切りやすくしたものなどをそのままナイフのように使っていた最初の時代を旧石器時代、その後割った石を他の硬い石などで研磨して、さらに使い易い石器にして使っていた時代を新石器時代と呼びます。この石器時代の植物は、寒い気候の関係で松の木等の針葉樹が主でしたから、人類が利用できる木の実などはほとんど無く、人々はもっぱら動物や魚類を食べて暮らしていたようです。

いつから縄文時代と呼ぶかということについては諸説あるのですが、土器を使い始めた時代から縄文時代とする説に従うと、それは１万6500年前ということになります。何故なら青森県の大平山元Ｉ遺跡から日本で初めてと思われる土器の破片が発見されて、これを放射線炭素年代測定法で調べたら１万6500年前の物だったからです。

その当時はまだ氷期でしたから、気温も現在より10度ほど寒かったようです。土器の破片には火にかけた跡が見られたそうですから、人々は土器で魚や肉を温めて調理していたものと思われます。この当時の土器にはまだ模様はなく無文土器と呼ばれています。

寒かった氷期もやがて終わりを迎え、間氷期になりました。この今から見て最後の氷期は紀元前1万1700年頃に終わりました。間氷期になると気温も徐々に上がり海の水位も上がってきました。この気候の変化により植物も杉や松といった針葉樹からブナ・ナラ等の落葉樹へと変わっていきました。落葉樹にはドングリ等の実がなりますので、この時代の人類は木の実も食料にしていました。他にも栗や椎の実等も食べていました。栗は特に人気があったようで青森県の有名な三内丸山遺跡では住居の近くに栗の木を植林して畑のように育てていたようです。

私も子供の頃に椎の実を食べていましたが結構美味しかったという記憶があります。私の小学生時代は東京都大田区馬込という地域に住んでいましたが、私がまだ子供だった昭和30年頃は家の近くに農家がたくさんあって、農家の近くには大きな椎の木がありました。強い風が吹いた翌日には、風で落ちた椎の実をよく探しに行ったものです。黒光りする椎の実を見つけた時は、子供にとってはダイヤモンドを見つけたような喜びでした。通常椎の実はフライパン等で炒って食べますが、そのまま生でも食べられます。縄文時代の人々にとっても、椎の実は美味しいおやつであったろうと思います。

気候の変化に伴い捕れる動物も変化しました。ナウマンゾウやオオツノジカといった大型動物がいなくなり、代わりに熊・イノシシ・鹿・野ウサギといった現在と同じ中小動物が捕れるようになりました。これらの中小動物は以前の大型動物に比べて動きが速いので、捕獲し易くするために弓矢もこの時代に使われるようになりました。

間氷期になって気候が温暖になると木の実類も食べられるようになり人類の数も少し増えていきました。実は縄文時代は１万年以上も続いたため、この間にも再び寒い時期が来たり、逆に現在より２～３度高い温暖化した時代もありました。

温暖化した時代には現在より海面が２～３ｍ高くなりました。私たちが現在内陸にある貝塚を目にするのは、その当時海面が上昇した結果です。私も子供の頃、大森貝塚というのが大森駅の傍にあったので何故こんなに海から離れた場所に貝塚があるのが不思議だったのですが、最近になってこの海の上昇を知って納得しました。

縄文時代の大きな特徴としては平和な時代だったことが挙げられます。この縄文時代には全期間を通じて戦争の跡がほとんど無いのです。戦争があると武器で傷つけられた人骨が発見されるのですが、縄文時代にはこれが無いのです。しかも、そういう時代が１万年以上も続いたというのが驚きです。

現代でも例えば大震災の時に、人々が奪い合ったりするのではなく、静かに秩序良く過ごす様子を海外から賞賛されますが、これも縄文時代から培った日本人の性質が引き継がれているのかもしれませんね。

長かった縄文時代もやがて終わるのですが、次に来る時代を弥生時代と呼びます。何故弥生時代と呼ぶかと言いますと1884年（明治17年）に東京都文京区弥生という場所で縄文土器とは異なった薄手の硬い土器が発見されました。この土器は弥生土器と呼ばれ、その土器を使用していた時代を弥生時代と呼ぶのです。

ではいつから弥生時代なのかということには、これも諸説あるのですが、私はこの本の「はじめに」で紹介した一番新しくて信憑性の高い学説に書いてある3000年前だと思います。

もう一度その文章（日本語を含むユーラシア言語の原郷について）の一部を紹介しますと、「この言葉の共通の祖先は約9000年前、中国東北部、瀋陽の北方を流れる西遼河流域に住んでいたキビ・アワ農耕民と判明したそうです。その後数千年かけて北方や東方のアムール地方や沿海州、南方の中国、遼東半島や朝鮮半島など周辺に移住し、農耕の普及とともに言語も拡散したそうです。朝鮮半島では農作物にイネとムギも加わりました。

日本列島へは約3000年前『日琉《日本語と琉球語》語族』として、水田稲作農耕を伴って朝鮮半島から九州北部に到達したと結論づけています」とあり新モンゴロイドが日本列島に来た時期を3000年前としていますので、この頃縄文時代が終わったと思われます。

ただこの変化は突然起きるわけではなく、新しい人々が稲作を携えて少人数で移住してきて、従来の縄文人と同化しながら新しい時代が構築されていったと考えるのが自然でしょう。ですから同じ日本列島の中でも地域により同化の速度は違っていました。

それにしても縄文時代が1万年以上も続いたということは驚きです。今から100年前を想像してみてください。100年前とは日本では明治時代ですが、現在から考えればかなり昔です。その昔をさらに100回続けて1万年になるわけです。

別の考え方をすれば日本で関ヶ原の戦いがあったのは西暦1600年で今から約400年前です。その頃は想像もできないほどの昔です。その昔を25回重ねれば1万年になります。つまり1万年という時間は想像を超える長さなのです。

確かに、たいした進歩がなかったせいもありますが、平和に今でいう持続可能な発展（SDGs）を1万年もの長い間続けてきたことは、現代の我々もそこから何か学ぶべき物があるのだろうと思います。

そんなわけで、私は縄文時代が好きになり、何か縄文時代の物を手に入れたいと思って、オークションで探していたら偶然縄文時代の壺を見つけました。博物館にあっても不思議ではない立派な大きな壺でした。最初は１万円～２万円の価格でスタートしたのですがオークションが進み、終了間際になって10万円を超えてきました。偽物だったらどうしようと迷いながらもどうしても手に入れたくなり、結局19万円で落札しました。

偽物かもしれないという不安を抱きながら、商品の到着を待ちました。宅急便で届いた壺は高さが53 cmもある深鉢と呼ばれる細長い立派な物でした。後で調べて判明したのですが、6000年ぐらい前の縄文時代中期の壺でした。

よく眺めているうちに、これは本物に相違ないと思いました。何故ならこれを作るには物凄い労力と発想が必要で、しかも古く見せるためには何処かに長期間放置する必要があるので、偽物を作るのはほとんど不可能だと思ったからです。

何故こんなに縦長の壺なのか不思議でしたがよく観察してみると、底から20 cmくらいまでは土の地の色なのですがそこから上は火に焼かれた跡のように黒くなっているのです。壷自体は結構重く10 kgぐらいあるので、現代のように火の上につるして使うのは難しいと思いました。

それで、この壺は地面に少し埋めて安定させ周りに木を置いて火を付けて、どんぐりやらイノシシの肉等を調理したのかなと推測できました。あと不思議なのは、穴の開いた取っ手のような物が壺の上部に2カ所付いているのですが、片方は大きくてもう一方は小さいのです。しかも左と右では穴の開け方も大きさも全然違うのです。この当時には左右対称という概念はなかったようで、どのようにこの取っ手を使用したのかということは、2カ月ほど考えても解明できませんでした。

やはり6000年も前の人々は、私たちとは違う発想で生きていたのだなと思い知らされました。このことにより、この壺はやはり縄文時代の物だなという確信が得られました。

現代の日本人は縄文時代の旧モンゴロイドとその後にやって来た弥生時代の新モンゴロイドの混血といわれています。どの程度の混血なのかというのは地域によっても違います。

日本列島内でも東日本と西日本では人々の性格が違うなというのは生活をしていて感じます。

前の第二次大戦の時、東日本の兵隊さんは命令に従順で辛抱強い兵隊が多く、西日本の兵隊さんはそれなりであったという話を聞いたことがあります。これは、新モンゴロイドは西から稲作を伴って東に進んで徐々に民族同化がなされ、東の方は遅れて同化していったので古モンゴロイドの比率が高いのではないかと思われます。

現在でも、東北地方の人々は口数は少なめですが誠実な人が多いという印象があります。縄文時代の人々は現在の東北地方の人々のような性格であったのではないかと感じています。

外見的にも古モンゴロイドの縄文人はガッチリとした体形で毛深く顔も彫の深い人が多く、目も二重の人が多いそうです。一方新モンゴロイドの弥生人は毛深くなく、目は一重の人が多いそうです。また、身体的な特徴として古モンゴロイドの縄文人の子孫の耳垢は湿っていて、新モンゴロイドの弥生人の子孫の耳垢は乾燥しているそうです。
私も自分の耳垢を調べてみましたが、以前は乾いていましたが、最近は湿っています。それで私も、自分は両方の血が入っている混血なのだなと思いました。
日本人の混血の話をしましたが、もう一つ私が今回の小説 で発表した新説を再度紹介したいと思います。
卑弥呼の時代は弥生時代でしたが、その後卑弥呼の政権に取って代わったのが大和朝廷でした。この大和朝廷は朝鮮半島に暮らしていたネオモンゴロイド（この呼び方は一般的ではなく私が初めて使用した言葉です）で弥生人と混血していきました。
つまり、従来の考え方は古モンゴロイドと新モンゴロイドの混血しか考えていませんが、私はさらにネオモンゴロイドとの混血が３つ目にあったと言っているのです。ネオモンゴロイドの人々とは、後にお公家さんと呼ばれるようになった人々です。
この人たちは弥生人と源流は同じですから、弥生人との言葉を通してのコミュニケーションにはあまり不便は感じなかったでしょう。それに人数もたいして多くはないでしょうから、外見的に大きく変化したことはないと思われます。
但しこの３つ目の混血があったと言っているのは今のところ私だけでしょうから、将来学者たちが科学的に証明してくれることを期待しています。
私は現在沖縄に住んでいますが、沖縄の人は先ほど書いた縄文人の特徴を持った人が多いです。普段感じることは、沖縄は横の社会で本土は縦の社会だということです。これはどちらがいいとは言えない問題ですが、実際暮らしてみると横の社会の方が人間関係が温かく楽です。ただ、沖縄のバスは時間通りに来ませんし、沖縄の人と待ち合わせると10時の待ち合わせなのに、10時に家を出るような人が多いです。

何を縄文時代から学べば良いかということについて考えることがありますが、それは自然を大事にするということに尽きると思います。

人間はここ数千年の間に色々なテクノロジーを手に入れましたが、最近になって自然の大切さを再認識するようになってきました。私の好きな言葉に「どんなに素晴らしい芸術も、自然を超えることはできない」というのがありますが、本当にその通りだと思います。

ここまで日本列島に渡ってきた人類の歩みを長々と書きましたが、最後に私は、人類がこの後どのような方向を目指して、千年・二千年あるいは数万年と進んで行くのかなと考えていることをお伝えしたいと思います。

それについて私は、私たち人類は手にしたテクノロジーを、縄文時代のような豊かな自然環境の中で駆使していく時代を、これから探しに行くのだろうと思っています。

あとがき

私がこの本を書いたのは韓流歴史ドラマの高句麗の朱蒙（チュモン）を見たのがきっかけだった。

朱蒙のドラマの最後に朱蒙の家族の一部が新しい国造りを目指して高句麗から南朝鮮の方へ移動していくが、朱蒙一族の旗が３足鳥《３本足のカラス》であった。しかし日本の朝廷にも３足鳥《八咫烏＝ヤタガラス》がいるので私の中で一つのストーリーが芽生えた。【物的証拠】

その後その朱蒙一族は実際百済を建国するのだが、大和朝廷と百済の関係は、実際に大和朝廷の皇后を百済から迎えるほど仲がよかった。

魏志倭人伝はかねてから興味があり何度も読み返していたが、冒頭に朝鮮半島の南端が当時倭国であったという記述を見て、先ほどの朱蒙一族の南下の話と魏志倭人伝の話が接点を持つことになった。

日本史では、魏志倭人伝の冒頭にでてくる現在の韓国の南に倭が存在したことについては読み流している節があるが、歴史的にも大和朝廷は何度も朝鮮半島に兵を出している。

現在中国国内に保存されている高句麗の広開土王碑文にも高句麗の広開土王が391年に倭と戦ったとする碑が存在する《つまり大和朝廷は南朝鮮に元々いたので朝鮮半島に大いに関心があったのである》。【状況証拠】

もともと朝鮮半島にいた倭が朝鮮半島内で活動するのは当然のことだったが、663年に百済を援護しようとして出兵した倭が朝鮮の白村江での戦で、中国の唐と新羅の連合軍に負けて2000名もの兵を失って以降、倭は朝鮮半島に出兵していない。その後は渡来人を受け入れるのみで自ら出兵することは豊臣秀吉の時代までなかった。

朝廷の皇后を百済から迎え入れたり、結果的に負けてしまったが2000人もの援軍を送るなど、百済と大和朝廷の関係は普通の他国との関係ではない。遠い親戚なのかと思わせるような特別の関係であったのである。このことが大和朝廷の故郷は南朝鮮にいた倭人ではないかと思わせたきっかけである。【状況証拠】

本書ではその物証として3足鳥《八咫烏》を取り上げている。具体的な流れは不明だが高句麗の旗が3足鳥で、その流れを汲んだ百済と大和朝廷が特別に仲がよく、大和朝廷にも3足鳥の旗があるという事実は、大和朝廷の故郷がこの辺りであろうという推測が的を射ていると思わざるを得ないのである。

日本の歴史に於いて弥生時代と古墳時代の間は空白になっていて誰も明確に教えてくれない。

せいぜい古事記の神話で天孫降臨とか言って神が天から降りてきて国を作ったという話があるが、現代ではそれを信じる人はほとんどいないであろう。

だいたい古事記が書かれたのは 712 年で卑弥呼の時代より 400 年以上も後だ。

100 年前の話だって言い伝えで正確に伝えるのは難しいと思うが、ましてや 500 年や 1000 年以上前の話を伝承するなんてことは不可能だろう。それに比べると魏志倭人伝は言い伝えではなく文書でしっかりと残っている。

日本の弥生時代のことが書いてあるこの魏志倭人伝というものは日本人にとってかけがえのない宝物だと思う。

私の書いた大和朝廷の話は憶測で書いた部分も多いが、実態は当たらずとも遠からずだと思っている。

大和朝廷が 300 年頃に成立したとしても既に 1700 年以上たっており、世界中どこを見渡してもそんなに長く続いた王朝は他にはないので、そのこと自体はすごいことだと思っている。

しかし、そろそろ神話の世界から抜け出して冷静に歴史を紐解く必要があると感じている。

戦後間もない頃、東京大学の江上波夫先生が「騎馬民族征服王朝説」というのを書かれたが、その説には色々な反論があって日の目を見ずに終わってしまった。

私が書いた話もその話に近いところがあるが、馬に乗った騎馬集団が来たわけではなく馬を携えた北方から来た武装勢力がじわりじわりと倭の国を支配していって、